すずちゃんの鎌倉さんぽ

吉田秋生（監修）&海街オクトパス

Why don't we
take a walk to Kamakura?

もくじ

海街diary
すずちゃんの鎌倉さんぽ

2章　すずの鎌倉さんぽ道

3章　海街をさらに楽しむ

※本文中の情報・料金等は変更されている場合があります。ご確認ください。

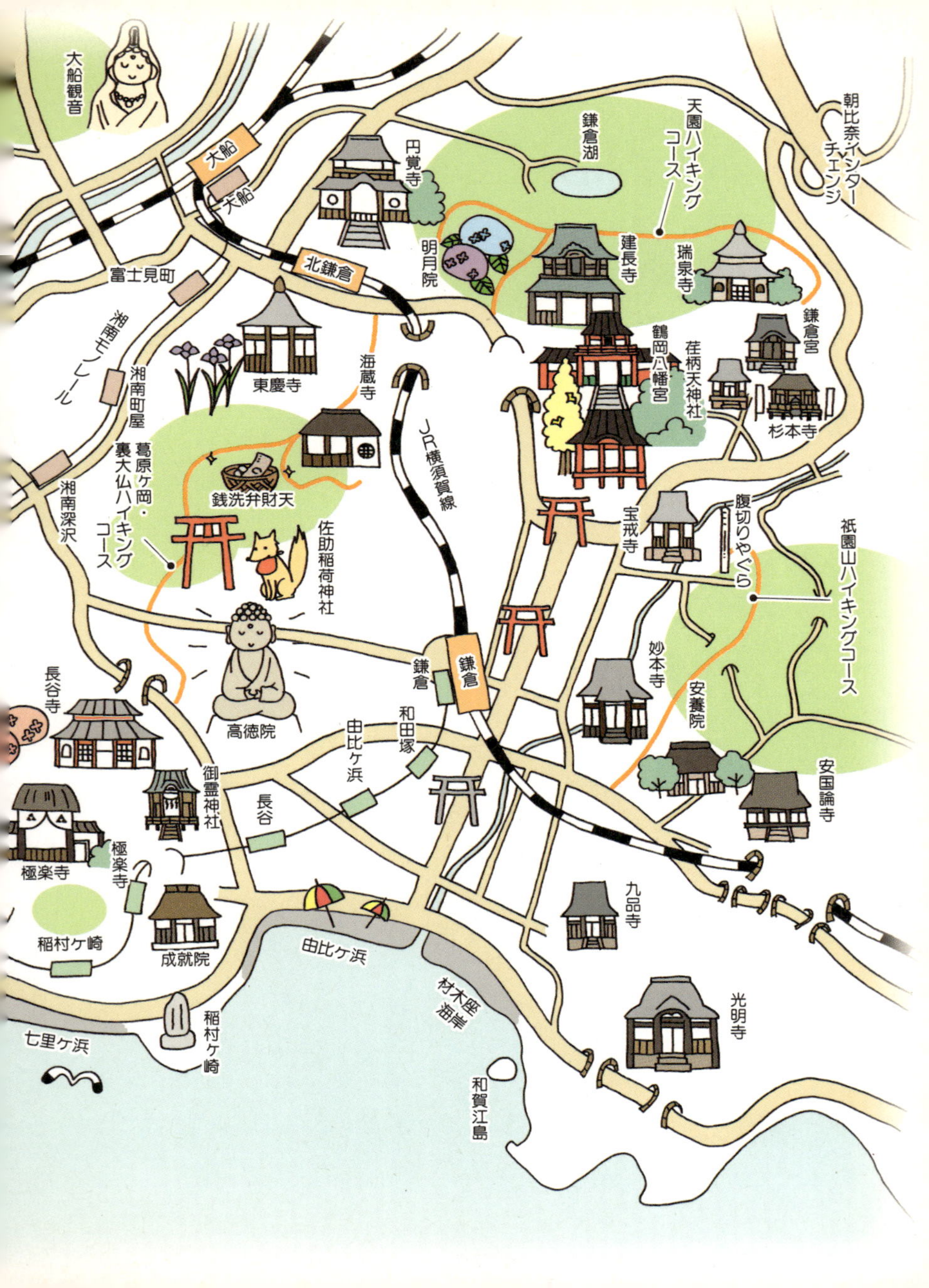

大船観音
大船
大船
富士見町
湘南モノレール
湘南町屋
湘南深沢
北鎌倉
円覚寺
明月院
鎌倉湖
天園ハイキングコース
朝比奈インターチェンジ
建長寺
瑞泉寺
鎌倉宮
鶴岡八幡宮
荏柄天神社
杉本寺
東慶寺
海蔵寺
銭洗弁財天
葛原ケ岡・裏大仏ハイキングコース
佐助稲荷神社
JR横須賀線
宝戒寺
腹切りやぐら
祇園山ハイキングコース
妙本寺
安養院
安国論寺
鎌倉
鎌倉
和田塚
由比ケ浜
長谷
高徳院
長谷寺
御霊神社
極楽寺
極楽寺
稲村ケ崎
成就院
由比ケ浜
材木座海岸
九品寺
光明寺
和賀江島
稲村ケ崎
七里ケ浜

海街MAP

まずは鎌倉《かまくら》の全体を見渡してみましょう。都心から電車で約1時間、風光明媚なところです!!

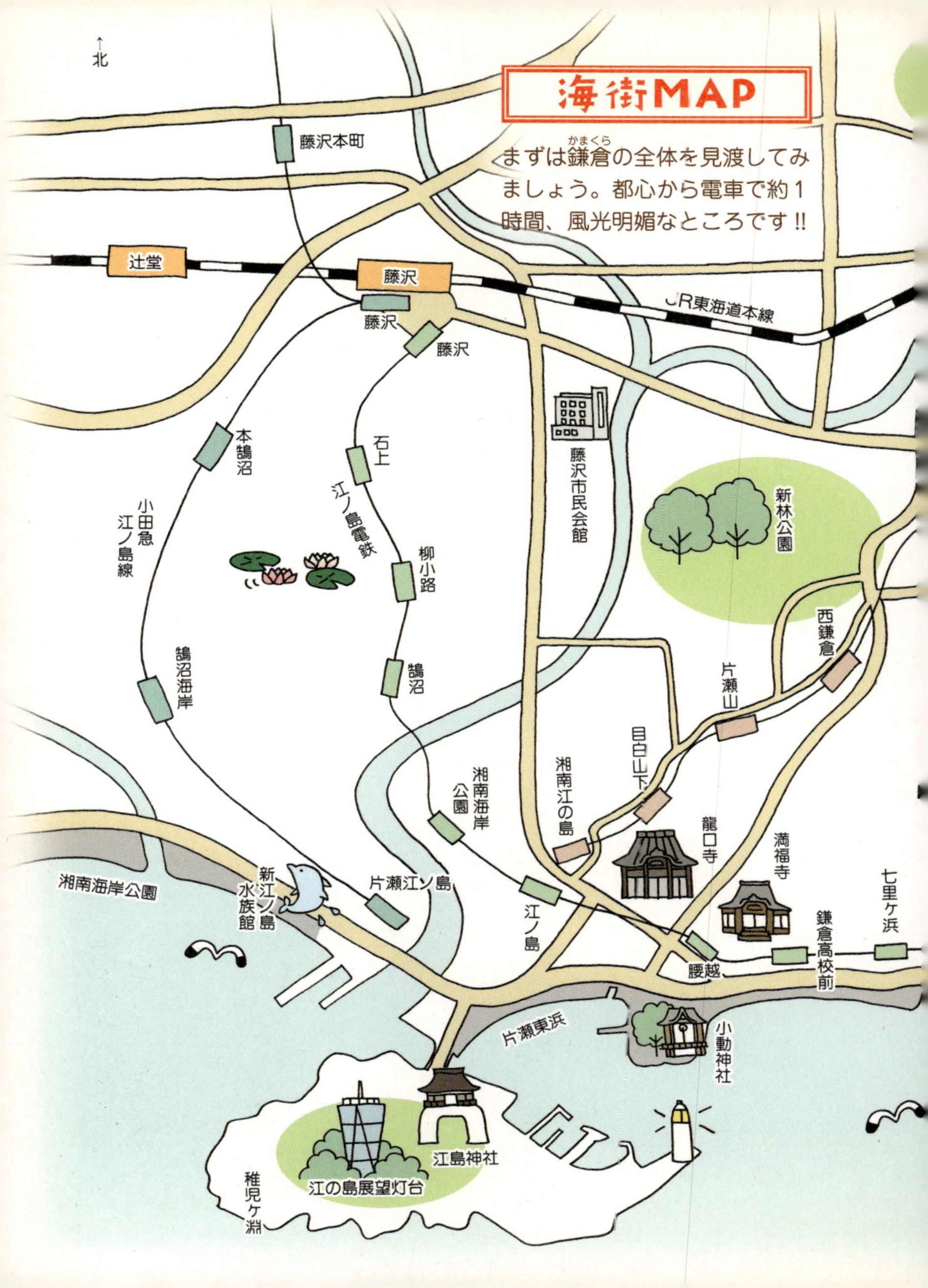

ようこそ海街へ

海街とは?

トンビがくるりと
輪を描き、

（時にはエサを求めて
人を襲い…）

カップルや
ファミリーが
ビーチで遊び、

たくさんの人が
勝手なお願いをしに
やって来て、

栄枯盛衰の
歴史に
いろどられ、

なぜか
電車が
大人気、

四季折々に
花が咲き、

そして、
わたしたちが
暮らしている
ところです。

そして、ここは
鎌倉と呼ばれて
います。

登場人物／●海街diary　●ラヴァーズ・キス

海街diary＆ラヴァーズ・キス　キャラ相関図

香田家

香田《こうだ》佳乃《よしの》　酒好きな香田家次女。地元の信用金庫に勤めている。

香田《こうだ》幸《さち》　しっかり者の香田家長女。市民病院の内科の看護師。

浅野《あさの》すず　母親違いの四女。サッカークラブ湘南《しょうなん》オクトパスに所属。

香田《こうだ》千佳《ちか》　にぎやかな香田家三女。スポーツ用品店に勤めている。

浜田《はまだ》　千佳が勤務するスポーツ用品店、店長。

湘南オクトパス

尾崎《おざき》風太《ふうた》

坂下《さかした》美帆《みほ》

緒方《おがた》将志《まさし》

多田《ただ》裕也《ゆうや》

井上《いのうえ》泰之《やすゆき》　理学療法士。湘南オクトパスの監督でもある。

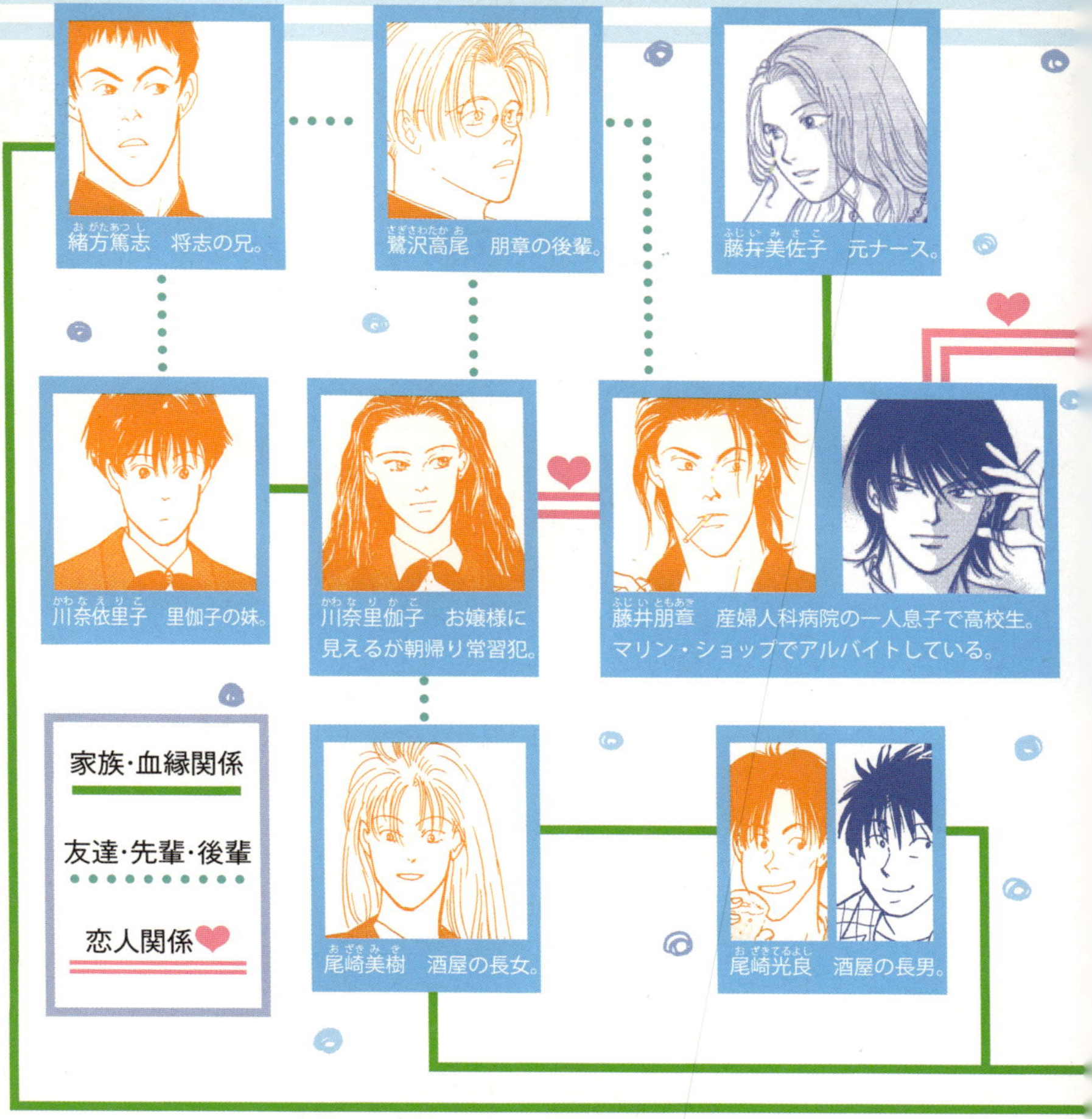
緒方篤志《おがたあつし》　将志の兄。
鷺沢高尾《さぎさわたかお》　朋章の後輩。
藤井美佐子《ふじいみさこ》　元ナース。
川奈依里子《かわなえりこ》　里伽子の妹。
川奈里伽子《かわなりかこ》　お嬢様に見えるが朝帰り常習犯。
藤井朋章《ふじいともあき》　産婦人科病院の一人息子で高校生。マリン・ショップでアルバイトしている。
家族・血縁関係
友達・先輩・後輩
恋人関係
尾崎美樹《おざきみき》　酒屋の長女。
尾崎光良《おざきてるよし》　酒屋の長男。

あらすじ

＊海街diaryとは…

鎌倉で暮らす、幸・佳乃・千佳の三姉妹に、母の離婚で長い間会っていなかった父の訃報が届いた。大した感慨も湧かないまま、葬式のために山形へ向かった三人はそこで母親違いの妹、すずと出会う。

ぎこちなくも交流を深めていく四人の間には、いつしか絆が芽生え始め…——。

切なさが内包された優しさが胸を打つ、四姉妹の涙と笑いの物語。

＊ラヴァーズ・キスとは…

川奈里伽子は、女関係での悪い噂が絶えない同じ学年の「ロクデナシ」藤井朋章と、早朝の海で出会ってしまう。最低最悪の印象を抱くものの里伽子は彼が気になる。

里伽子と朋章の交流の裏で元ピアノ仲間の鷺沢高尾や、妹の川奈依里子の恋も同時に動き始めていて…。

三つの視点から、さまざまな恋模様が描かれた青春物語。

1章 すずの暮らす街

「海街diary」そして
「ラヴァーズ・キス」の
ストーリーを
追いながら
すずの暮らす街を
ご紹介します！

海街MAP

極楽寺《ごくらくじ》〜長谷《はせ》

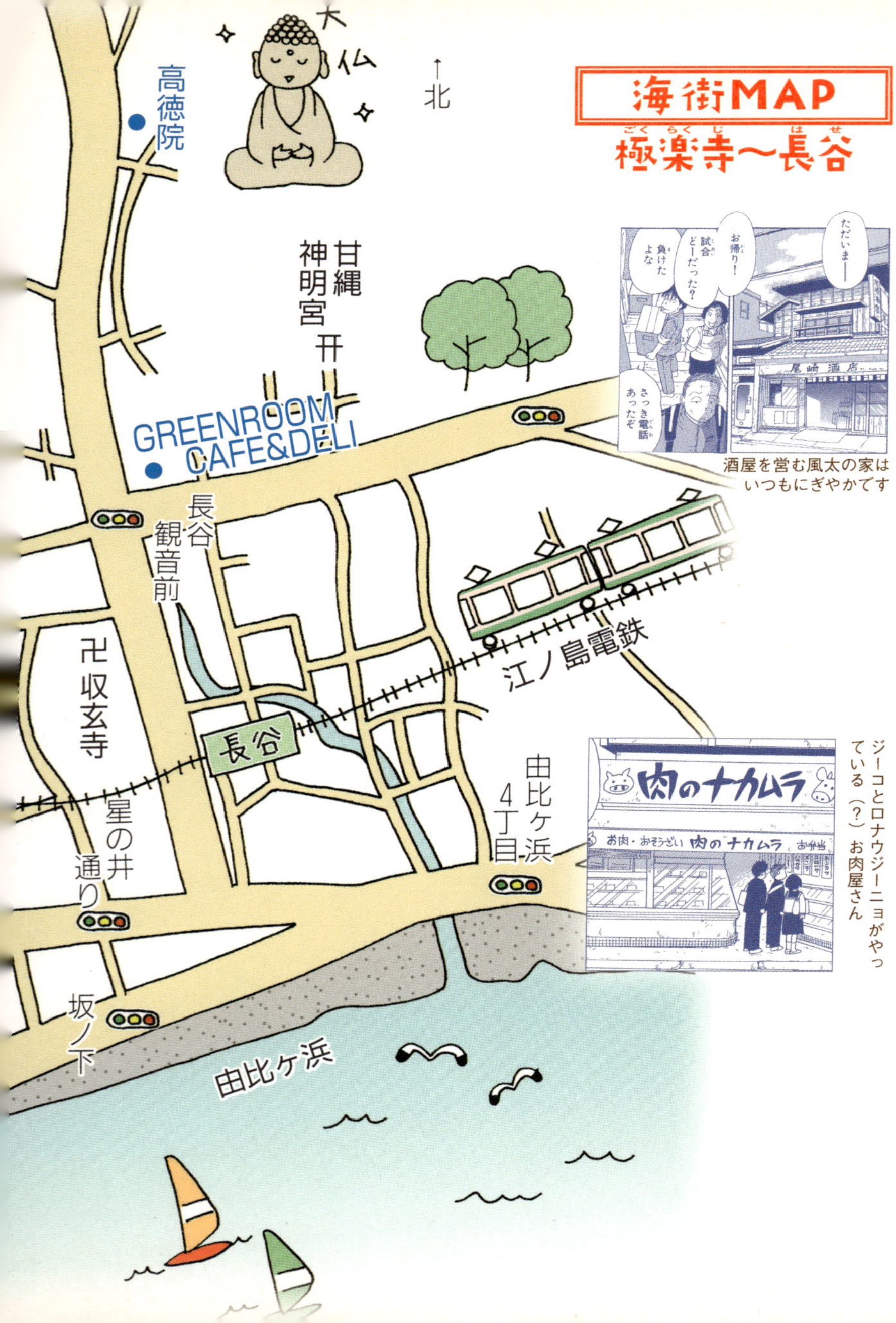

酒屋を営む風太の家はいつもにぎやかです

ジーコとロナウジーニョがやっている（？）お肉屋さん

わたしたち四姉妹は極楽寺で暮らしています。極楽寺というお寺も駅の近くにあります。家は広いのですが、ちょっと古いです。鎌倉駅から江ノ電に揺られて約8分。静かな住宅街です。

　極楽寺坂を下れば長谷。観光客の多いところですが、風太の家や肉のナカムラなどもあって、わたしもよくジョギングしながら遊びに行きます！

ここがわたしたちの家です！

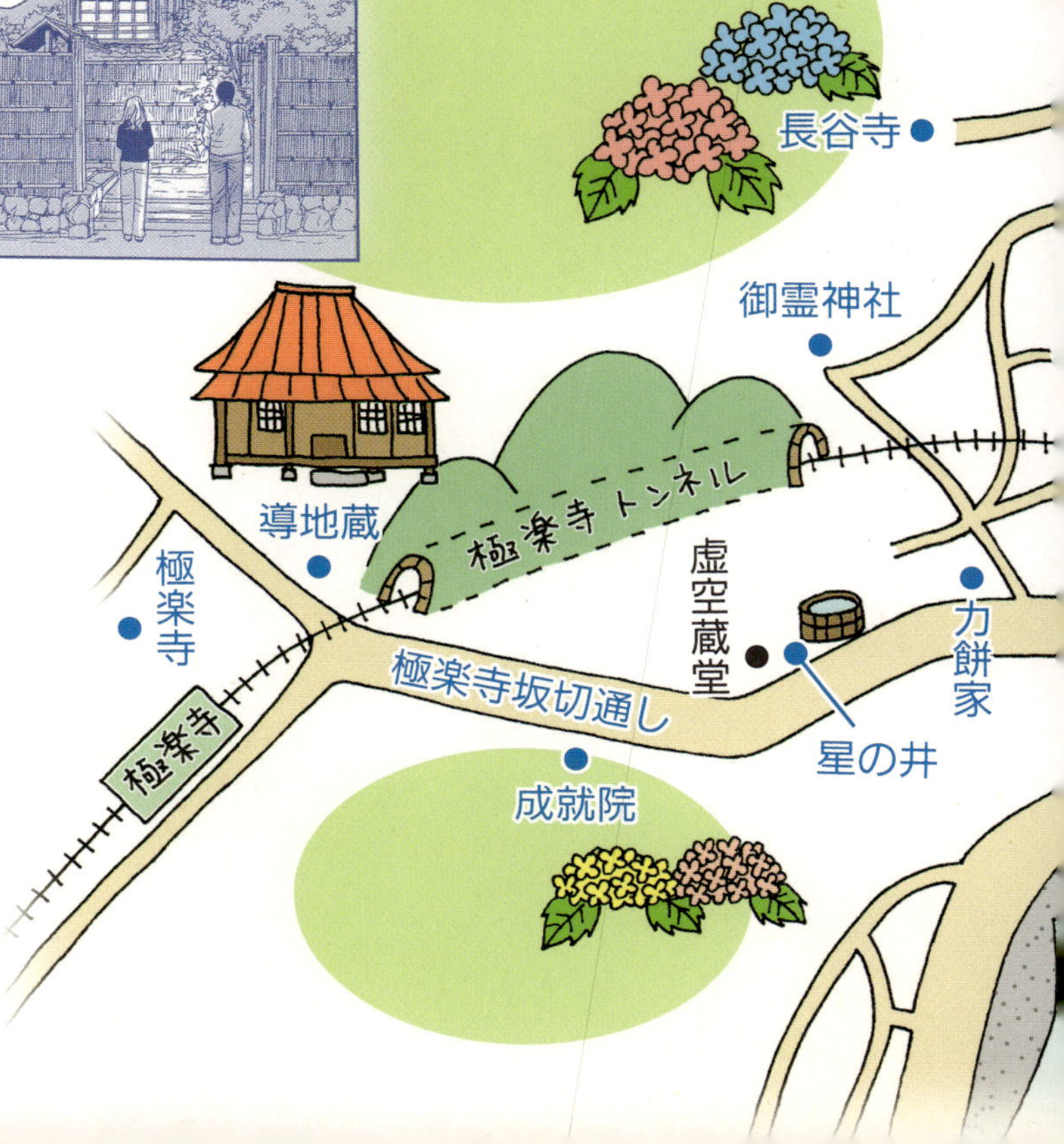

極楽寺駅とその周辺

香田家の生活の拠点とは!?

▼江ノ島電鉄、通称・江ノ電の極楽寺駅（MAP P.15）

香田家はこの駅の近くにあります。ホームのすぐ脇を小さな川が流れ、山あいの沢沿いに来たような錯覚を覚えます。

▶第3話「二階堂の鬼」の扉絵

◀鷺沢

すずは学校へ、佳乃は勤務先の信用金庫へ。それぞれの一日は、この駅から始まります。
（あと5分早起きすればいいのに、なかなかできません！）

「ラヴァーズ・キス」の鷺沢も極楽寺に住んでいます。彼の家には畑があって、いろんな野菜をつくっています。

さて、彼が家に帰る途中に出会った人とは…？（次ページに続く）

◀極楽寺駅ホーム

緑に囲まれた静かな駅は、これまで数々のドラマ・映画の舞台になってきました。そして今ここは「海街diary」の香田四姉妹の人生を見つめています。

ふー

祖母の七回忌を迎え、家を処分するか否かで幸は母親と口論に。なんとか収拾したその翌日、母親を極楽寺駅まで送る幸。久しぶりに会う母子の会話を、地蔵堂が見守るかのようです。

梅雨《つゆ》なんて久《ひさ》しぶりだわ…むこうは梅雨《つゆ》がないから

▲朋章

（前ページより続く）道路工事のバイトをする朋章と会った鷺沢。実は彼にはある秘めた想いが…!?

極楽寺駅のすぐ近くにあって、赤い屋根がひと際目を引く地蔵堂。ちょっと軒先を借りてひと休みさせていただきましょう。

▶導《みちびき》地蔵（MAP P.15）

▶江ノ電にかかる桜橋

裕也をめぐって、恋のライバル（!?）となったすずと美帆が、桜橋の上で語り合います。

その名の通り、春には見事な桜が見られます。

極楽寺トンネルは江ノ電唯一のトンネルです。小さいので、電車に乗っていると、テーマパークのアトラクションのようです。

◀極楽寺トンネルから出る江ノ電

▶極楽寺駅ホーム

極楽寺駅からも赤い屋根の地蔵堂が見えます。「海街diary」のカラー扉にも登場した、印象的な光景です。

電車を一本やり過ごし、ベンチに座ってみましょう。心地よい風に吹かれながら、海街とラヴァーズの世界を堪能できますよ！

◀第５話「二人静」の扉絵

◀第７話のタイトルにもなった「真昼の月」

梅の実を採りながら風太と将志が見つけたのは、昼の空にかかる月。「見えないのではなく、見ていなかっただけ…」
　見ようと思えば見えるものがあるのです。

「なんか得した気分」とすずが言う昼の月。

　そんな真昼の月が輝く下を、母親を見送った幸が家に帰っていきます。

　母親をなかなか許せない幸ですが、得意料理のシーフードカレーは唯一、母から教わった料理。母と娘の絆は目に見えないところにあるのです。

　幸と、そして今は亡き祖母手作りの梅酒を２本持って、母親は北海道へと帰っていきます。幸もまた、香田家の長女として忙しい日常に戻ります。

　ふたりが次にいつ会えるのか、真昼の月は知っているのでしょうか⁉

▶長谷駅へ向かう江ノ電

▶極楽寺二丁目にて

木をそのまま利用した電柱がありました。こんな古いものがまだきちんと仕事をしています。（ほめてあげたい！）

鎌倉にも残り少なくなった木造の家。縁側に家族が集い、ご近所さんと語らう光景も今は昔の感があります。でも香田家はその古き良き生活を今も続けています。（冬は少々寒いかも…ですが）

江ノ島電鉄
極楽寺駅

極《ごく》楽《らく》寺《じ》

桜の名所は貧民救済の祖・忍性《にんしょう》の寺

▲かやぶきの山門

▶桜並木の参道

❖ 極楽寺　MAP P.15

- 9：00〜16：30
- 無休（宝物殿は土・日・祝の10：00〜16：00　2・7・8・12月は休館）
  ※宝物殿は2008年度休館
- 無料（宝物殿は300円）
- 0467-22-3402

◀本堂

開山した忍性は広く慈善事業を行い、人々から尊敬された真言律宗の僧です。

貧しい病人のために茶をひいたという石臼や粥をつくったという井戸が残っています。

成《じょう》就《じゅ》院《いん》

あじさいの向こうに海が見える！

あじさいの名所、成就院は極楽寺坂切通しの途中にあります。

あじさいの数は262株。般若心経の字数と同じです。あじさいを見ながら参道を歩くだけで、お経を唱えたも同然（!?）

あじさいの向こうには、由比ヶ浜、材木座海岸が広がります。この絶景を目当てに、毎年多くの方々が訪れます。

▲成就院（MAP P.15）東の結界門

縁結びご利益寺社としても有名です（→ P.119）

▲参道から見るあじさいと海

極楽寺坂

新田義貞《にったよしさだ》が越えられなかった急坂！

▶成就院前にある標識

風雨にさらされながら、がんばっている標識が街のあちこちにあります。地図がなくても大丈夫！海街さんぽの強い味方です！

▶民家に向かう階段

坂の途中に急な階段があり、庚申塔が安置されています。その上は私有地なのでここで引き返します。

▼3基並んだ庚申塔

▼日限《ひぎり》地蔵

道行く人々を守ってくれるお地蔵さんですが、盗難やいたずらが多く、やむなくシャッターをとりつけたとのことです。（悲しい世の中です）

▶極楽寺坂
（MAP P.15）

写真奥に成就院の参道が見えます。今は舗装された車道になっていますが、昔はもっと急で狭い切通しでした。

1333年、鎌倉を攻めようとした新田義貞の軍勢は敵に阻まれてここを越えられず、稲村ヶ崎から迂回して鎌倉に入り、北条高時らを自害に追い込んで幕府を滅亡させました。

昼間でも底の水面に星が映って見えたといわれている井戸があります。

今では屋根がかぶせられて星どころか底も見えません。

◀星の井の脇にある標識

▲鎌倉十井のひとつ、星の井<星月の井>（MAP P.15）

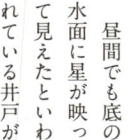

御霊《ごりょう》神社

この神社には真情を吐露させる不思議な力が!!

遮断機の下りた踏切に入ろうとした裕也。そして、それを止めようと、自転車を飛ばしてきたすずと風太ですが…!?

何事もなかったかのように御霊神社の前を江ノ電が通り過ぎていきます。

一方、長谷駅を出た鷲沢と緒方は御霊神社に向かいます。

photo by Akimi Yoshida

▶緒方

過酷な運命と闘う裕也。そして裕也を気遣うすずと風太。静かな境内に3人のそれぞれの思いが交錯します。

◀東側の参道にある鳥居

▲御霊神社本殿

御霊神社は、鎌倉・湘南地方の開拓の祖、鎌倉権五郎景政《ごんごろうかげまさ》を祀っています。景政の命日9月18日には面掛《めんかけ》行列という珍しい行事が行われ、普段は静かなこのあたりに観光客が押し寄せます。

裕也の言葉に聞き入るすずと風太。3人は御霊神社の本殿へ向かいます。

悩める高校生、鷺沢と緒方が腰かけているのはこのあたり？

▲神社東側の入り口

▼タブの木

境内には景政が手玉に取り、袂に入れたという石や、景政が弓を立てかけたという松の古木などがあります。

▲手玉石（左）と袂石（右）

社務所の横にある大きなタブの木は、鎌倉市指定の天然記念物です。

かながわ名木100選にも選ばれていて、境内に大きな木陰をつくっています。

この木の推定樹齢は約350年。鎌倉時代は無理ですが、江戸時代からの御霊神社の歴史を見つめてきました。

◀弓立ての松

鷺沢と緒方、ふたりの出会いは1年前の夏でした。(右はメガネをはずした鷺沢です)

御霊神社で一番ゼミが鳴き始めました。江ノ電の線路を渡って去っていくふたりに、タブの木の濃い影が落ちています。

始まったばかりの夏が、新たな波乱のドラマを連れてきます。

▲御霊神社境内から見る江ノ電

静かな境内ですが、時折、その静寂を破って警報機が鳴り、江ノ電が通り過ぎていきます…。

▼極楽寺トンネルから御霊神社側に出た江ノ電

▶踏切にある看板

❖ 御霊神社 **MAP P.15**

¥ 境内自由

☎ 0467-22-3251

高《こう》徳《とく》院《いん》

美男の大仏がおわします！

▲高徳院山門

❖ 高徳院　MAP P.14

7：00～18：00（10～3月は17：30）
無休
200円（大仏の胎内20円）
0467-22-0703

約750年前に造られた大仏は、当時、全身が金箔に覆われていました。今でも右ほおに金箔が残っています。大仏の胎内見学もおすすめです。

パンチのおっさんとは失礼な！　すずはまだ鎌倉の大仏さまを見たことがないのです。ゴメンナサイ!!

◀国宝阿弥陀如来像

▼大仏専用（!?）巨大わらじ

長《は》谷《せ》寺《でら》

海とあじさいの素晴らしい眺めを堪能！

◀松の木に守られた総門

❖ **長谷寺　MAP P.15**

8：00～17：00（10～2月は16：30）
無休（宝物館は火曜休み）
300円（宝物館は100円）
0467-22-6300

木造では日本最大級と言われる十一面観音立像（通称・長谷観音）を本尊とする古刹。

池泉庭園や由比ヶ浜から材木座海岸を眼下に見る見晴台など、見どころがたくさんあります。

▲大黒堂・宝物館

▶あじさいの種類の多さは鎌倉一！

▼裏山にあるあじさい散策路

長谷駅

駅で繰り広げられるドラマは出会い？　それとも別れ？

長《は》谷《せ》
HASE
ゆいがはま
YUIGAHAMA
ごくらくじ
GOKURAKUJI
Coca-Cola

▲長谷駅上りホーム（MAP P.14）

…ほんとに今日《きょう》なのか？
はぁ
依里子《よりこ》から聞《き》きましたさかい確《たし》かですわ
長谷
HASE

…
向《む》こうにいるの鷺沢《さぎさわ》くんたちじゃない？
ああ…そうだな
なんだあの子《こ》たちサボリ？

春の早朝の海で出会った里伽子と朋章。夏になり、朋章が鎌倉を去る日が来ました。
江の島で束の間の時を過ごし、長谷駅にやってきたふたり。向かいのホームには、朋章の出発日の話をする鷺沢と緒方がいました。

▼長谷駅下りホーム

長《は》谷《せ》
HA SE
ごくらくじ GOKURAKUTI
ゆいがはま YUIGAHAMA
江の島マイアミビーチショー
江の島
花火大会
Hase

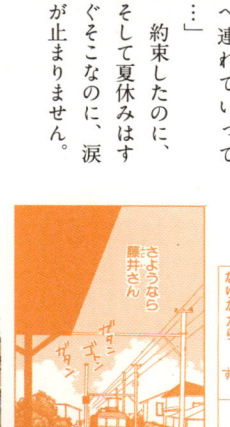

もうすぐ朋章を連れ去る電車が、長谷駅に入ってきます。
「夏休みになったらイルカのいる海へ連れていって…」
約束したのに、そして夏休みはすぐそこなのに、涙が止まりません。

長谷
HA SE
はせ
MEIJI

りかこちゃんが
歩《ある》いていく
つんのめりそうになりながら
すたすたすたす
たすたすた
コインロッカー

さようなら
藤井《ふじい》さん
ガタン
ゴトン
ガタン

you should check
these shops restaurants and…

おすすめショップ&グルメ

元禄3年創業、300年の歴史を持つ和菓子店

力《ちから》餅《もち》家《や》

9:00～18:00
水曜、第3火曜定休（祝日は営業）
（お盆、お彼岸の頃はずれる場合あり）
0467-22-0513

遠くからも一目でわかるのれんの文字は、大正時代の書家、林祖洞氏の手による

求肥の力餅は賞味期限3日（9個入り900円・バラ売り1個90円）

力餅は当日中に召し上がって。3～5月は餅が草餅に（10個入り650円）

御霊神社近くにある老舗の名物は力餅。御霊神社に祀られている鎌倉権五郎景政が力持ちであったという故事にちなんで作られた和菓子だ。やわらかな餅に、ほどよい甘さの餡をのせた力餅は日本茶タイムにぴったり！

また、伝統あるお祭り、面掛行列にちなんで11種のお面をお菓子にした福面饅頭や、夫婦饅頭などもショーケースに並ぶ。

海の街を彩る、新進気鋭のカフェ

GREENROOM CAFE&DELI

11:00～21:00（土・日・祝日は9:00～）
水曜定休
0467-33-5026
http://greenroomcafe.jp/

開放感溢れるテラス席も併設。大通りを行く人を見ながらのんびり過ごすのも、また乙なもの

バリスタの店長自らが作るカフェラテ（480円）。寒い時には、200杯注文が入る日もあるとか

ボリューミーで種類豊富な料理が、潮風に吹かれた体を優しく癒してくれる。モーニング（午前9時～11時／週末のみ）・ランチ（午前11時～午後3時）・ティータイム（午後3時～5時）・ディナー（午後5時～9時）という時間帯で、メニューが様変わり。何度も通って色々な注文をしてみたくなるはず。

内装は季節毎に変わるので、こちらも見逃せない。

自家製リコッタチーズのパンケーキ（1300円／朝）とGREENROOMバーガー（1500円／夜）が定番の一品

海街ねこ写真館

海街MAP

稲《いな》村《むら》ヶ《が》崎《さき》～海岸

北
ナイスショット！！
日蓮袈裟掛松碑
稲村亭
稲村ヶ崎
稲村ヶ崎温泉
稲村ヶ崎駅入口
稲村ヶ崎公園
新田義貞の碑

七里ヶ浜で藤井朋章さんがよくサーフィンをしています。藤井さんはいろいろワケありな人で、彼の真意を聞くには、わたしもサーフィンをするしかない！と挑戦してみましたが、見事撃沈の連続！

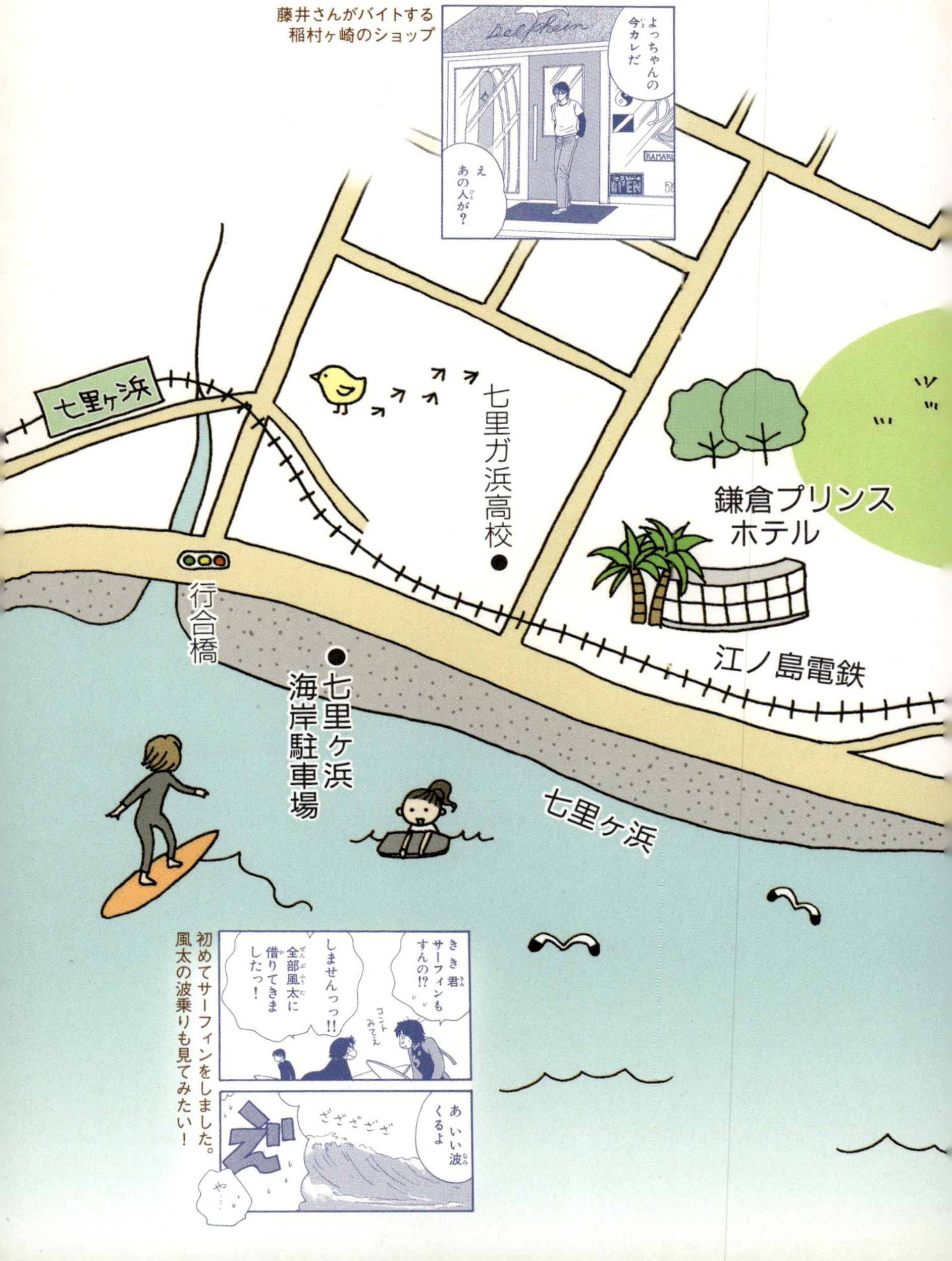
よっちゃんの今《いま》カレだ
え あの人《ひと》が？
七里ヶ浜
七里ガ浜高校
鎌倉プリンスホテル
行合橋
江ノ島電鉄
七里ヶ浜海岸駐車場
七里ヶ浜
きき君《きみ》サーフィンもすんの!?
しませんっっ!!
全部風太《ぜんぶふうた》に借《か》りてきましたっ！
コントみてえ
あいい波《なみ》くるよ
ざざざざざ
ざ
や……

藤井さんがバイトする稲村ヶ崎のショップ

初めてサーフィンをしました。風太の波乗りも見てみたい！

稲村ヶ崎～海岸

潮風が運ぶ出会いと別れ…

▲サーファーが波を待つ七里ヶ浜

トラブルを抱えながら、それをひとりで背負っていた朋章。佳乃と出会い、そしてすずと語り合う中で、少しずつ、彼の秘密が明らかになっていきます。

でも、明らかになったその時、朋章は彼女たちの前から消える運命に…⁉

◀第4話「花底蛇（かていのじゃ）」の扉絵

稲村ケ崎〜海岸

悪い噂の多い朋章でしたが、すずはストレートに彼に迫り、彼なりの生き方があることを知るのです。

photo by Akimi Yoshida

外資系の金融機関に勤めるOLと偽って、年下の大学生朋章とつきあい始めた佳乃。自分のことをあまり話さない朋章に対して、佳乃は少々不満です。

やがて、朋章が銀行にお金を下ろしにやって来たことで佳乃が地元の信用金庫勤務であることがバレます。同時に朋章にいたっては、なんと高校生であることが発覚!

嘘から始まったふたりの恋ですが…!?

photo by Akimi Yoshida

朋章《ともあき》くんにだって
きっとあやまり
たかったんだよ
でもどうしても
勇気《ゆうき》なくって
お金《かね》だけ返《かえ》したん
じゃないのかな
それが
せいいっぱい
だった

…その人《ひと》ほんとは
悪《わる》い人《ひと》じゃ
ないんだよ

すずと千佳に見られているとは知らず、佐助稲荷神社で男にお金を渡していた朋章。それは佳乃が窓口業務をする信用金庫からおろしたものでした。

お金は結局、手つかずのまま返却されました。朋章をゆすっていた男にもまた深い事情があったのでしょうか。

藤井《ふじい》さんは
お母《かあ》さんを
許《ゆる》せましたか？
人《ひと》は信《しん》じたいもの
だけを信《しん》じて
見《み》たいものだけを
見《み》るのよ
別《べつ》の何《なに》かが
あるなんて 思《おも》いも
しないのよね

久しぶりに会った幸と、先輩ナースだった美佐子は海辺のカフェにやって来ました。お互い、母に対してわだかまりのあるふたりは家族のこと、異性のことなどを話しています。

◀稲村ヶ崎公園から見る七里ヶ浜と江の島

美佐子の旧姓は藤井。仕事のできるスーパーナースでしたが、突然結婚し、現在は小笠原でダイビング・ショップを営んでいます。そう、実は彼女は明章の叔母なのです。

幸は、一度だけ会ったことのある明章が、美佐子の甥であることを知りません。

▼波をとらえたサーファー！

稲村ヶ崎～海岸

▲七里ヶ浜に打ち寄せる大きな波

「ラヴァーズ・キス」の朋章と里伽子の出会いは海でした。夜遊びの帰りに浜辺で朝を迎えた里伽子の前に、海から朋章が現れます。

お互いに顔見知りではありましたが、この瞬間からふたりのドラマが始まります！

稲村ヶ崎〜海岸

▲稲村ヶ崎駅入り口の信号

ある日突然、海から現れた朋章が、再び海の向こうへ行ってしまう…!?
夏の訪れは里伽子と朋章に何をもたらすのでしょうか？

▲七里ヶ浜で見かけた恋人たち

江ノ島電鉄
稲村ヶ崎駅
出口

▲江ノ電稲村ヶ崎駅（MAP P.42）

あれぇ？鷺沢《さぎさわ》さんち極楽寺《ごくらくじ》でしょー
ウルセーな こいつは
ガタン
ゴトン
ガタン
よるとこがあんの今日《きょう》は
えーデートですかぁ？

江ノ
稲村ヶ
出口

鷺沢と緒方が朋章の噂をしながら江ノ電に揺られています。

緒方にからかわれながら稲村ヶ崎駅で電車を降りた鷺沢。ここにあるマリン・ショップでバイトしている朋章を訪ねるためです。

鷺沢の脳裏には、ある時期を境に別人のように変わってしまった朋章の姿がうずまいています。

〝変《か》わってねーなーおまえ〟
そうですか
そうですね
でもあなたは
変《か》わりましたよ
まるで別《べつ》の人《ひと》だ

▼駅から稲村ヶ崎へ続く坂道

勉強・スポーツ、なんでもこなし、誰からも好かれていた藤井先輩が、どうして変わってしまったのか。明るかった先輩がどうして暗い目をするようになったのか。

藤井を慕う鷺沢は、その理由を求めて模索を続けます。

▲第4話「花底蛇」予告絵

自分をゆすっていた男を殺した…と、朋章はすずに言いました。ゆすられている現場を目撃してしまったすずにとっては、衝撃の告白です。

　すずは彼を追って、七里ヶ浜の波に果敢に挑みますが⁉

▲白波の立つ七里ヶ浜から見る稲村ヶ崎

　やっぱり、いくらスポーツが得意なすずでも、いきなりサーフィンは無理でした！

◀稲村ヶ崎から見る江の島の夕暮れ

彼がひとりで背負っているものは何？　決して人に頼ろうとしない彼を支えられるのは誰？

佳乃の恋は終わってしまうのでしょうか？　稲村ヶ崎に夕暮れがやってきて、江の島の灯台に灯りがともりました…。

稲村ヶ崎は
富士山の見える
景勝地としても
有名です。

you should check
these shops restaurants and…

おすすめショップ&グルメ

絶品焼豚は酒の肴にもおかずにも!

稲村亭

9:30 〜 18:30
火・水曜定休
0467-24-8101
http://www.kamakura-yakibuta.co.jp

パックされた焼豚は冷蔵庫で2週間日持ちする。もう少し保存したい場合は冷凍庫へ

江ノ電の線路脇にあるお店は創業59年。線路を渡ってお店に入ろう!

3代目の今子真一さん。先代から受け継いだ伝統の味を守っている

　秘伝のタレに漬けた豚肉をじっくり2時間、炭で焼く。こだわって選んだ島根産の炭は高温で香ばしい焼豚を作る。炭の香りを楽しむには、切ってそのまま食べるのが一番!

　炭火焼豚100g450円のほかに、炭火焼鳥1本380円、豚みそ漬け1パック3枚入り700円くらい。ギフトセットもあり、贈られた人が購入しに来店することも多い。

獅子舞は紅葉がとってもきれいです！
獅子舞
福寺跡
cobocobo
もみじや
通玄橋
瑞泉寺
護良親王墓

熊野神社
報国寺入口
卍浄妙寺
浄明寺

病気の裕也を見舞うため、風太と将志と3人で行ったことがあります。その時は結局会えなくて、お見舞いにと買ったコロッケを、橋に腰掛けて食べました。その後、裕也に会えないまま秋になり、獅子舞の紅葉を見に、また3人で訪れた思い出の場所です。

どっち?
こっち!
鳩サブレー
バスの終点、大塔宮で降りて裕也の家へ

↑北
↑覚園寺
大江広元の墓
源頼朝の墓
荏柄天神社
獅子頭
大塔宮
鎌倉宮（大塔宮）
大倉幕府跡
天神前
岐れ路
岐れ路
大御堂橋
杉本城跡
杉本寺卍
←鶴岡八幡宮
杉本観音

海街MAP
二《に》階《かい》堂《どう》周辺

二《に》階《かい》堂《どう》周辺

自然美あふれる二階堂周辺を散策しよう！

▲堂々とした拝殿

❖ 鎌《かま》倉《くら》宮《ぐう》（大塔宮《おおとうのみや》）

MAP P.57

宝物殿の見学時間
9：00～16：30（2月～11月）
9：00～16：00（12月～11月）

無休

境内自由、宝物殿 300 円

0467-22-0318

▲厄割り石

▲拝殿に祀られた獅子頭

後醍醐天皇《ごだいごてんのう》の皇子・護良親王《もりながしんのう》を祀る神社。親王は鎌倉幕府倒幕に活躍しましたが、その後に足利高氏《あしかがたかうじ》（のちの尊氏）と対立。足利方に捕らえられ土牢に幽閉、28歳で殺《あや》められました。拝殿正面に見える獅子頭は、親王が戦の時に、獅子頭の小さいお守りを兜の中に入れていたことにちなむといわれます。

境内には親王が幽閉された土牢や、御首《みしるし》を置かれたという御構《おかまへ》廟《どころ》（御首塚）があります。宝物殿には親王の生涯が描かれた絵などが飾られています。拝殿手前、鳥居の右側には厄割り石と呼ばれる石があります。素焼きの盃に息を吹きかけ、この石に投げつけ割ると厄が祓えると伝わっています。一度お試しあれ。

▶親王が幽閉されていたという土牢

▲鎌倉宮で蝉時雨を聞きました

すずたちが多田のお見舞いに行くときに乗った京浜急行のバス。観光客や市民のよき足になっています。この後すずは、鎌倉宮についての知識を披露。きっと鎌倉について勉強したんだね。

多田《ただ》んちって確《たし》か二階堂《にかいどう》だったよな
うん紅葉《もみじ》ヶ《が》谷《やつ》のほう
鎌20
鎌倉

▼鎌倉宮（大塔宮）バス停でパシャリ！

PASMO

緑豊かな谷戸の奥にある1327年に建立された禅寺。夢窓疎石《むそうそせき》作の庭園が見事で「花の寺」として有名です。境内は四季折々の草花が咲き誇り、なかでも春に咲く黄《おう》梅《ばい》、秋の紅葉《もみじ》の時期には多くの人が訪れます。

瑞泉寺《ずいせんじ》 **MAP P.56**

9：00～17：00
（入園は16：30まで）
無休
200円
0467-22-1191

▲瑞泉寺周辺の谷戸は紅葉《もみじ》ヶ谷《がやつ》と呼ばれるほど紅葉の樹が多く、秋に訪れたい土地。一面まっ赤になることでしょう

▶通玄橋を渡ると瑞泉寺に至る。橋を渡らず左手に進むと獅子舞《ししまい》方面

▼さすが紅葉の名所、橋にも紅葉が。落ちた葉が川を流れるのを想像しました

❖ 獅子舞《ししまい》

すずが将志、風太と行った紅葉の名所。二階堂川をずっとさかのぼっていった所にあります。未舗装の細い山道を登っていくので、軽いハイキングくらいの準備をして行くことがオススメ。その分、自然美は満点です。

▼二階堂川上流部。滑りやすいので注意

▶多田の家を見舞った帰りの三人

photo by Akimi Yoshida

二階堂周辺は、川と緑の調和が美しい。だからこそきっと吉田先生も、三人にここを歩かせたのかな。

▶白旗神社前の石段を登るとお墓

❖ 源《みなもとの》頼朝《よりとも》の墓《はか》 MAP P.57

鎌倉幕府を開いた源頼朝の墓。頼朝は1199年に落馬が原因で53歳で亡くなったと伝わります。この墓から見下ろした所が、かつての幕府の中心地・大倉幕府跡。ところで幕府の成立した年って、今の教科書では1185年なんだって。イイクニではなくイイハコ作ろう鎌倉幕府です!!

▲ここに名高い将軍が眠っている

福岡の大宰府天満宮、京都の北野天満宮と共に三天神社と称される名社。祀られているのはもちろん学問の神様・菅原道真公。なので受験シーズンには大いに賑わいます。本殿は美しい朱色で、ご神木の銀杏は圧巻の迫力。ぜひ訪れてほしい神社の一つです。

◀ご神木の大銀杏は市の天然記念物にもなっています

❖ 荏《え》柄《がら》天《てん》神《じん》社《しゃ》

MAP P.57

- 8：30〜16：30
- 無休
- 無料
- 0467-25-1772

▶本殿は国の重要文化財に指定されています！

you should check
these shops restaurants and…

おすすめショップ&グルメ

関西風うどんと甘味でほっとひと息!

もみじや

11:00 ~ 16:00
金曜定休（祝・祭日の場合は営業）
0467-25-4672
http://www1.kamakuranet.ne.jp/momijiya/

紺色の暖簾が目印。店名はこのあたり一帯の地名『紅葉ヶ谷』にちなんでいる

きつねうどん（800円）は関西風の上品な味付けと大きなお揚げに大満足!

お抹茶・白玉ぜんざいつき700円、ミニサイズのかわいい白玉も自家製

四季折々の良さに惹かれ、わざわざ不便な二階堂の地に女主人が店を開いて26年。看板メニューの関西風うどんは、京都出身のお母さま直伝の味。小豆は北海道産大納言、甘さ控えめで上品な味わい。季節の炊き込みごはんと、うどんかそばのセットは、小鉢と小さな甘味つきで1200円。秋は栗ぜんざい（800円）、冬は鍋焼きうどん（1300円）の季節メニューも。

パン教室も好評、郊外にある大人気のパン屋

cobocobo（コボコボ）

12:00 ~売り切れまで
不定休
0467-23-3792
http://cobocobo.com

フリュイ（290円）は、ドライフルーツとくるみの風味が口いっぱいに広がる

オリーブ&チェダー（190円）はオリーブとたっぷりチェダーがリッチな味わい

瑞泉寺の門前のお店。ビール、日本酒などを飲みながらのパン教室も楽しそう!

石釜で焼くパンは、天然酵母、国産小麦を使用。買ってすぐに食べたお客さんが、わざわざ戻って買いに来たほどのおいしさだ。
観光のオフシーズンに開催しているパン教室も好評で県外からの生徒さんも。7～9月はこのパン教室がメインで販売は週に1日。10月から6月は週5日の販売だが、不定休のため、ネットで確かめてからお出かけくださいとのこと。

海街MAP

腰越《こしごえ》～鎌倉高校前

わが湘南オクトパスのゴールキーパー、みぽりんの家がある腰越。漁港があって、特にしらす漁が盛んです。

腰越から海沿いに東へ行くと鎌倉高校前。駅が海のすぐ近くにあって、とってもいい景色です！

なに大声《おおごえ》で演説《えんぜつ》してンのよ！上《うえ》のほうまで聞《き》こえてくるよ！
おっ美帆《みほ》！すずちゃんきてっぞ！
おに…おとーさんじゃなかったんだ
見《み》ればわかるよっ

鼻歌とともに、みぽりんのお兄さんが登場！

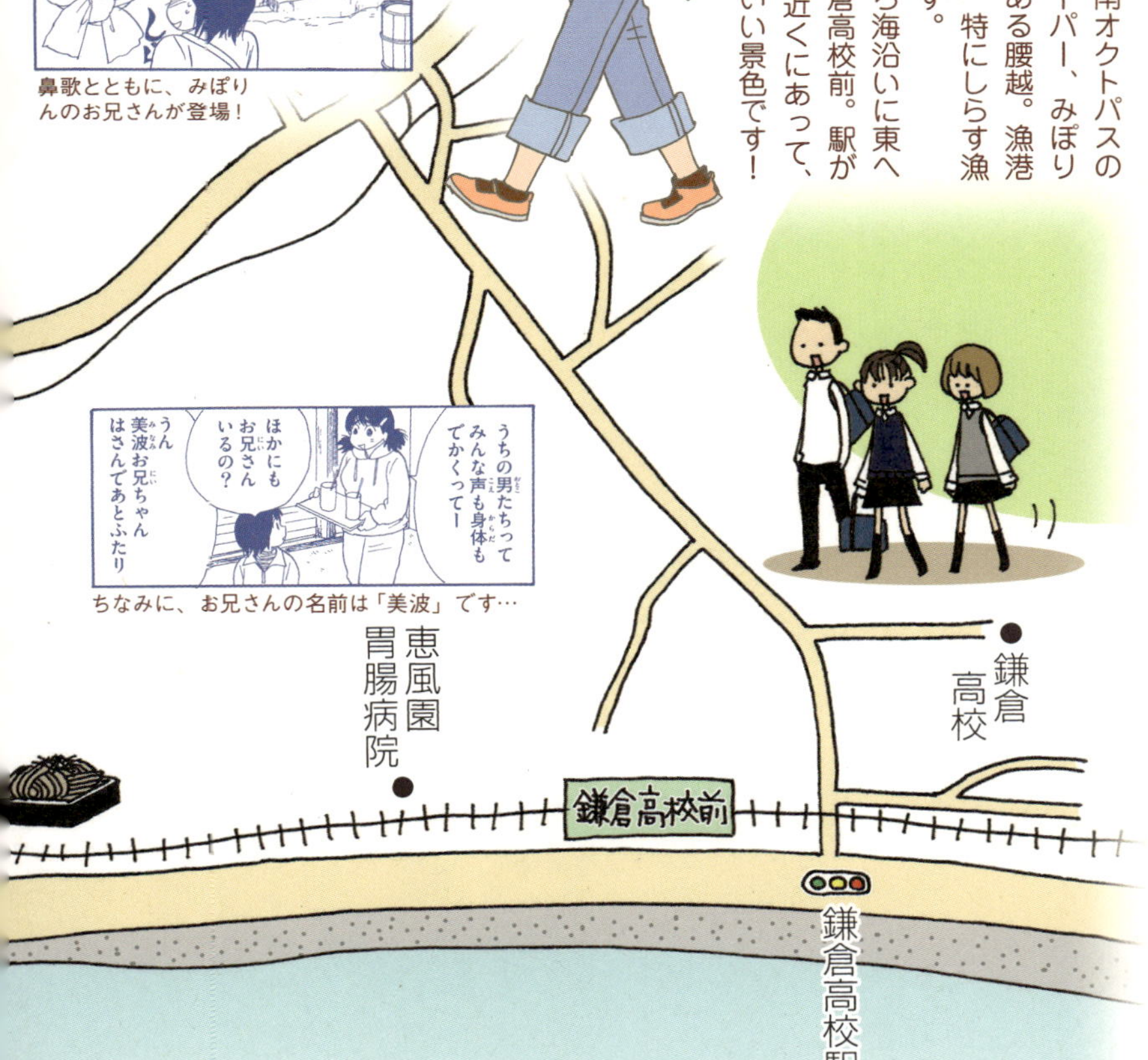

恵風園胃腸病院
鎌倉高校
鎌倉高校前
鎌倉高校駅前
うちの男《おとこ》たちってみんな声《こえ》も身体《からだ》もでかくってー
ほかにもお兄《にい》さんいるの？
うん美波《みなみ》お兄《にい》ちゃんはさんであとふたり

ちなみに、お兄さんの名前は「美波」です…

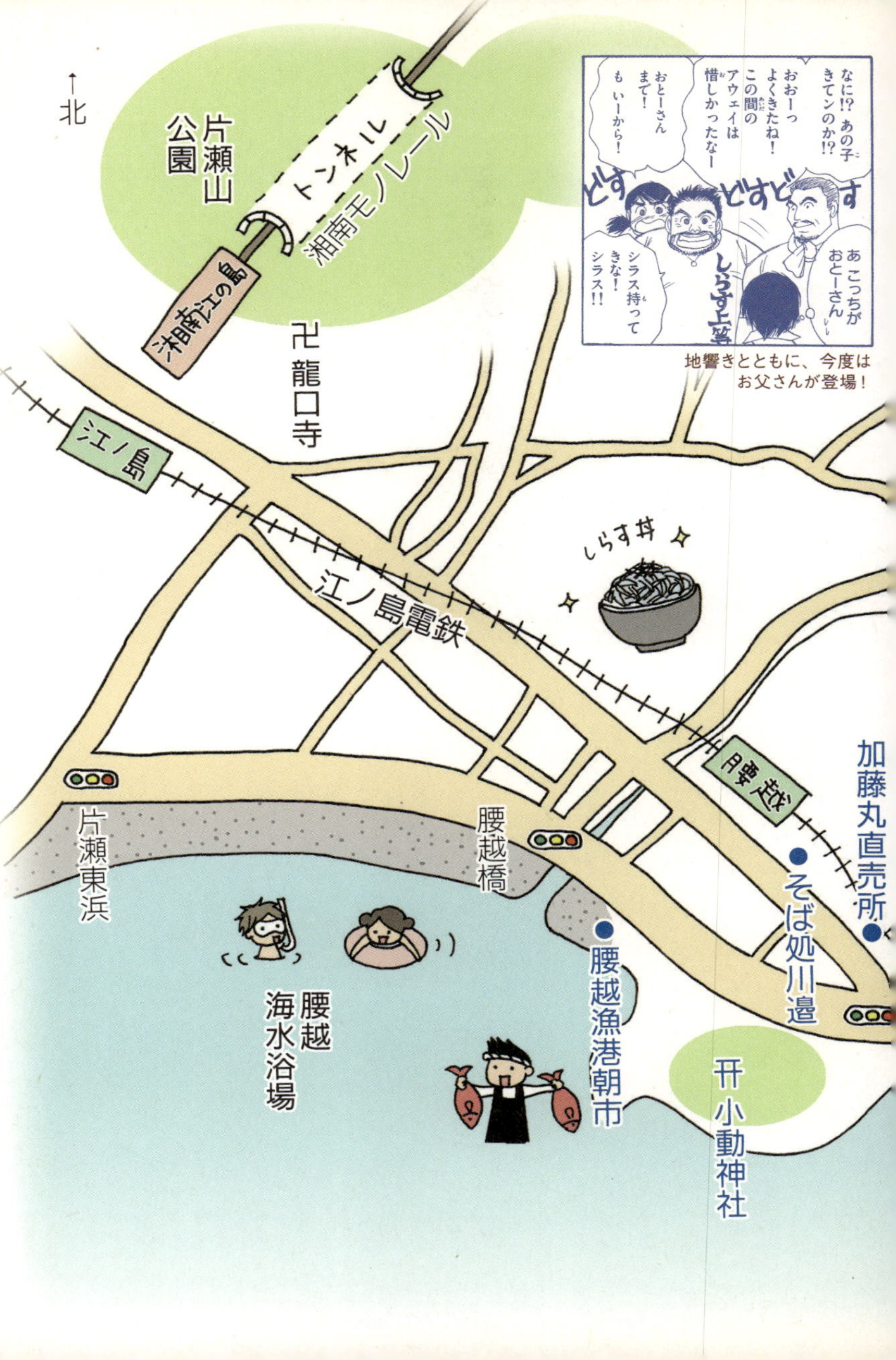
北
片瀬山公園
湘南モノレール
トンネル
湘南江の島
卍龍口寺
江ノ島
江ノ島電鉄
しらす丼
腰越
加藤丸直売所
そば処川邉
片瀬東浜
腰越橋
腰越漁港朝市
腰越海水浴場
小動神社
なに!? あの子《こ》きてンのか!?
おおーっ よくきたね! この間《あいだ》のアウェイは惜《お》しかったなー
おとーさんまで! もいーから!
どすどすどすどす
あ こっちがおとーさん
シラス持《も》ってきな! シラス!!
しらす上等

地響きとともに、今度はお父さんが登場！

腰越

海の幸と漁港からの景色を満喫！

▲まっ白にゆであがったしらすが海に映える

直売所
しらす
加藤丸

▶加藤丸さんの直売所

▶波の音を聞きながら…

▶塩ゆでにしたしらすを天日で干します！

❖ 加藤丸直売所

MAP P.65

8：00～16：00頃

0467-31-0746

腰越は
しらす漁で有名！
ちなみに、しらすとは
イワシなどの
稚魚のことです！
しらす上等

しらす漁は3月中旬から12月ですが、最盛期は5～7月。とれたてのしらすを塩ゆでした釜揚げしらすはおみやげに、生しらすは地元の食事処で食べるのがおすすめ！とくに午前中に行けば鮮度抜群です！

▲こちらは生しらすを型枠に入れて…

▲天日で干せばやがておいしいタタミイワシに！

湘南オクトパスのゴールキーパー、美帆は腰越のしらす漁師の家に生まれました。しらす直売とともにつり船も出しています。

男顔負けのパワーでゴールを守る美帆のたくましさは、お父さんとお兄さんゆずりでしょうか。

腰越漁港の目と鼻の先にあるのが江の島です。漁船がずらりと並ぶ風景も迫力があります。

また、トンビの鳴き声がいかにも漁港らしく、風情を感じますが、食べ物を持っていると襲われるので注意！

腰越漁港
KOSHIGOE FISHING PORT
入口

▲国道沿いにある漁港への入り口
◀たくさんの漁船が停泊中

photo by Akimi Yoshida

空気《くうき》変《か》えよう 外《そと》行《い》かない？
うん

裕也をめぐって気まずくなったふたり。すずは自分の気持ちを伝えるため、美帆の家を訪ねます。

腰越漁港の防波堤に座ったふたりは、お互いに思いを伝え合いますが…!?

みぽりん
あたしもちゃんと自分《じぶん》の気持《きも》ち話《はな》すね

あたしこれから裕也《ゆうや》に告白《コク》る！
すずいっしょにきて！
えっ

見た目もたくましいサッカー少女・美帆ですが、彼女もやっぱり恋する女の子。すずの出現によって危機感を抱き、ずっと好きだった裕也に告白することを決意します。

▲漁港から見る小動（こゆるぎ）岬

▲小動岬にある小動神社は腰越の鎮守

◀ほおかむりしたユーモラスな狛犬

鎌倉高校前

江ノ電と海のビューポイント！

鎌倉高校駅前
Kamakura koko Sta
藤沢
1101

▲海を左に見ながら藤沢を目指す江ノ電、
青い海に緑の車体が映える!

phcto by Akimi Yoshida

▶「海街 diary」コミックス
1巻のカバー絵

コミックス1巻のカバーイラストに描かれているのが、鎌倉高校前にある踏切です。江ノ電の鎌倉高校前駅を出たところにあります。

高校生たちの通学路になっていますが、サーフィンをする人たちがサーフボードを抱えて踏切を渡っていく姿もよく見られます。踏切と国道を渡ったところに海に降りる階段があるのです。

へぇーっ
くしょーいっ
ガタン
ガタン
ゴトン
ゴトン

自分《じぶん》の中《なか》の
なにかが
GO《ゴー》サインを出《だ》す
あなたはもう
決《き》めたんですね
そういう瞬間《しゅんかん》て
あると思《おも》わない
か？

ふみきり
1251
▲こちらは鎌倉駅方面へ向かう江ノ電

すずはクシャミをしながら、朋章の言葉を思い出します。

警報器の音を打ち消すかのようにガタンガタンと走っていく電車。朋章の中の警報器も今、激しく鳴り続けているのかもしれません。

ガタン
ガタン
ガタン

朋章と過ごしたほんのわずかな時間が、すずの心の中の何かを動かしました。そして、前を向いて歩いていこうと、すずもまた決意するのでした。

▲すずたちを乗せた電車（？）が出発！

▲鎌倉高校前駅から見る江の島

you should check
these shops restaurants and…

おすすめショップ&グルメ

ここまで来たらやっぱり、しらすを食べなくちゃ!

そば処 川邉

11:30 ～ 19:30
水曜定休(祝日は営業、翌日休み)
0467-31-0358
http://soba-kawabe.com

野菜の甘みがしらすの塩気とマッチする、しらすかき揚げ天ざる(1600円)

生しらす丼(1050円)は小鉢のしらすにしょうゆをかけて、少しずつご飯にのせる

店先の赤い旗が目印。土日の昼時は混み合うので、時間をずらして行こう

腰越名物のしらすを使ったメニューがたくさんあって迷ってしまいそう! 提携している船から毎日届くしらすは鮮度抜群。そばは北海道で契約栽培している母子里そば、米は佐渡産コシヒカリ。

季節限定の生しらすは秘伝の技で夕方までピン!と新鮮さを保っている。1月から3月の禁漁期には、瞬間冷凍した釜揚げしらすが食べられる。

潮風に包まれて、新鮮な魚のお買い物!

腰越漁港朝市

10:00 ～売り切れまで
3月は第3木曜、4～7月と9～ 11 月は第1・第3木曜、12 月は第1木曜に開催
0467-32-4743

漁業組合前のテントで販売。地元の人が多いが、遠方から買いに来る人もいる

生しらすも売っているので、保冷バッグ持参で買いに行き、早めに食べよう!

季節ごとに変わる鎌倉野菜は色も鮮やかで、どれもみんなおいしそう!

開始時間の午前10時前からお客さんが列を作っている朝市。獲れたてのアジやイワシなどの魚介類はもちろん、地元農家の新鮮な野菜も並ぶ。

名物のしらすは3月中旬から12月まで。生しらすのほか、ふっくらゆで上げた釜揚げしらす、天日で干したタタミイワシなどの加工品もある。

開始15分でほぼ完売! 早起きして行こう!

あなたの街の信用金庫!!
金利がおトク!
キャンペーン実施中!!
マジー貯金箱が当たる!
キモかわいいと大評判!!!
スーパー「つみたてくん」
歴史と伝統の
預け換えのチャンス!!
鎌倉八幡信用金庫
♥♥♥銭洗弁財天で増えたお金はカマ信へ！　担当／香田佳乃

何神社
…え？
おと…こ？

夕暮れの佐助稲荷で怪しい男と会っていた藤井さん

鎌倉に来たばかりの頃、チカちゃんと行った佐助稲荷。実は、よっちゃんの彼、藤井さんの後をつけて行ったのでした。

よっちゃんの「二股運」を心配してのことだったけど、そこで見てはいけない光景を見たのです！

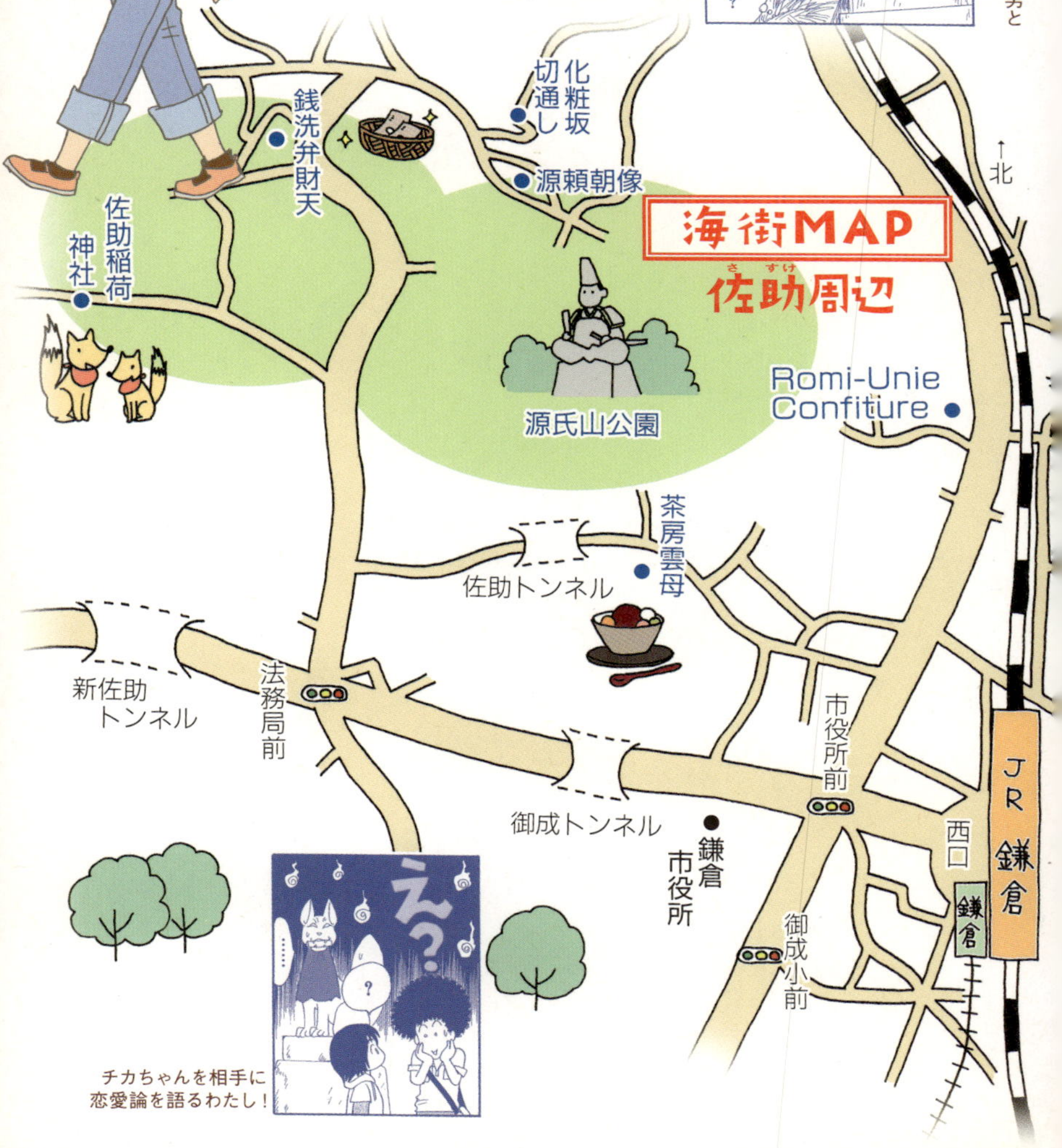
海街MAP
佐《さ》助《すけ》周辺
↑北
化粧坂切通し
銭洗弁財天
源頼朝像
佐助稲荷神社
Romi-Unie Confiture
源氏山公園
茶房雲母
佐助トンネル
新佐助トンネル
法務局前
市役所前
御成トンネル
鎌倉市役所
西口
JR鎌倉
鎌倉
御成小前
え？
……
？

チカちゃんを相手に恋愛論を語るわたし！

銭《ぜに》洗《あらい》弁《べん》財《ざい》天《てん》（宇《う》賀《が》福《ふく》神《じん》社《じゃ》）

心身を清めて、初めてご利益があるのです！

▲弁財天の入り口

▶奥宮の手前にある本社

◀社務所の横にはお守りなどを授ける授与所がある

▼トンネルを抜けると風情ある鳥居が並ぶ

苔とシダの生える壁面を眺めながら坂道を歩くと銭洗弁財天の鳥居とトンネルが見えてきます。トンネルを抜けるとまぶしく感じられる光の中、木製の美しい鳥居が並ぶ――。

　ここ銭洗弁財天は、源頼朝が1185年巳の月、巳の日に見た夢のお告げから、この地に宇賀福神を祀ったのが始まりと伝わります。

　境内に湧く霊水で心身を清め、お金を洗うと福銭を授かるご利益があるといいます。

社務所で線香、ロウソク、ザルを借り受け(100円)、本社にお参り。そののち奥宮でお金を洗います。このお金を使うと、何倍にもなって返ってくるといわれます。鎌倉でも人気のスポットで参拝者が絶えず、特に巳の日には多くの人で賑わいます。

▶お社を参拝してから、お金を洗おう！

▼洗ったお金は使ってこそ、ご利益が！

❖ 銭洗弁財天《ぜにあらいべんざいてん》

MAP P.75

- 8：00〜17：00
- 無休
- 無料
- 0467-25-1081

◀絵馬舎には、様々な願い事がいっぱいありました

▶お茶屋さんにはお土産物もたくさん！

佐助稲荷神社《さすけいなりじんじゃ》

頼朝の夢枕に立って平家討伐を決意させた神様

▲赤い鳥居が並ぶ参道

静かな住宅地の奥にあり、強烈な色彩で訪れる者を迎えてくれる佐助稲荷神社。出世稲荷としても有名です。

▼第2話「佐助の狐」の扉絵

第2話扉絵の、狐のお面をかぶった朋章は思わせぶりな格好で、すずと佳乃を誘っているかのようです。

❖ 佐助稲荷神社

MAP P.75

㊎ 境内自由
✆ 0467-22-4711

佐助周辺

佳乃の心配をするあまり、朋章の後をつけてきたすずと千佳。朋章が会っていた男は何やらワケありのようす。朋章の周辺には危険な匂いが…⁉

◀本殿へ向かう階段

（ちなみに旗は裏側から見ているので文字が反対になっています）

佐助の狐は悪い狐じゃない、というすずの言葉に一応安堵した千佳。おなかのすいたふたりは神社を去っていきます。そしてその頃、朋章は佳乃とデートをしているのですが…!?

photo by Akimi Yoshida

この神社には縁結びの十一面観音も祀られています。この観音様と、頼朝と妻・政《まさ》子《こ》の大恋愛にあやかって恋愛成就のご利益もあります。

▶境内にある狐の置物

you should check
these shops restaurants and…

おすすめショップ&グルメ

お菓子みたいな季節のジャムが40種類!

Romi-Unie《ロミ・ユニ》 Confiture《コンフィチュール》

10:00 〜 18:00
年中無休(年末年始除く)
0467-61-3033
http://www.romi-unie.jp

今小路沿いにあるお店は童話の世界のようなおしゃれな外観

季節ごとに約40種類のジャムが並ぶ(80g入り680円〜)

シンプルなラッピングにはかわいいスプーンのマークが!

菓子研究家のいがらしろみさんが2004年に開いたお店。水玉のバンダナをした若い女性たちがジャムを作っているのが店内から見えて、まるで映画の1シーンのよう。かわいい瓶に入ったジャムは、ハッピーな朝食にぴったり。また、大切な人へのおしゃれなギフトにも。そのほか、炭酸で割って飲むとおいしいシロップ(310g入り950円〜)もある。

散策に疲れたらゆでたて白玉でひと休み!

茶《さ》房《ぼう》雲母《きらら》

10:30 〜 18:00(ラストオーダー 17:45)
年中無休
0467-24-9741

軽いお昼ごはんにもなるくずきりと白玉きな粉のセットは1050円

テラス席は店の横から入れるので、ペットと一緒にお茶タイムもできる

直径3cm以上はある大きな白玉がのる宇治白玉クリームあんみつ800円

閑静な住宅街の一角にある茶房雲母。竹取物語がテーマのインテリアは、天井と壁にペガサスと白鳥のオブジェを配し、入って右側の篠座敷は、お爺さんお婆さんの家をイメージしている。クラシックが流れる店内で、ゆでたて白玉をいただけば、心も身体も癒される。お盆に添えられた一輪の花にお店の心遣いが感じられる。夏にはかき氷、冬には甘酒の季節メニューが。

乗って楽しい見て楽しい！ 江ノ電全駅紹介

鎌倉めぐりをする観光客にも沿線住民の方々にも欠かせない足、それが江ノ電。住宅地のド真ん中を通り、トンネルをくぐり、海辺を走り、路面まで渡ってしまう、なんとも愉快な34分間です！

…まさかコーコーセーだったなんてなー

鎌倉駅西口にある時計台は待ち合わせに最適！

江ノ電のりば
鎌倉駅

鎌《かま》倉《くら》駅《えき》

江ノ電のりば
じゃね！
うん！

すずたちが毎日通り抜ける改札口

藤沢行きが出発！

約2分

和田塚駅

和《わ》田《だ》塚《づか》駅《えき》

いきなり無人駅！

駅の近くにある和田塚は北条義時に滅ぼされた和田一族の墓

約2分

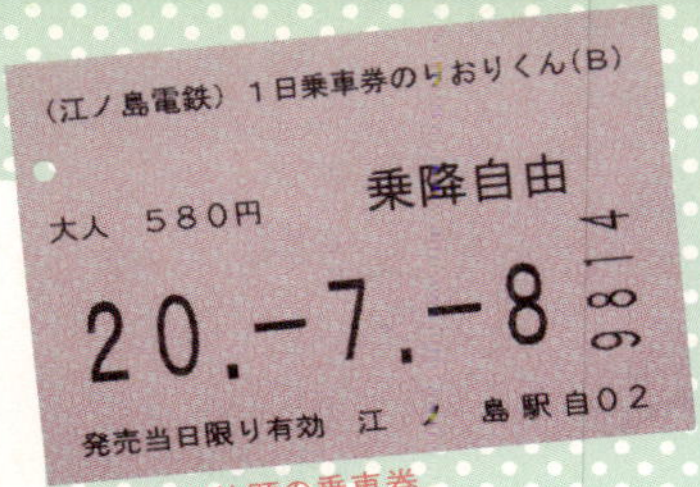
（江ノ島電鉄） 1日乗車券のりおりくん(B)
大人 580円
乗降自由
20.-7.-8
9814
発売当日限り有効 江ノ島駅自02

一日乗り放題の乗車券
「のりおりくん」580円

海街キャラたちも通る改札口

ピシャン

遠くへ行ってしまう朋章を見送る里伽子

由比ヶ浜は海水浴場への最寄り駅

由《ゆ》比《い》ヶ《が》浜《はま》駅《えき》

約2分

長谷駅

長谷《はせ》駅《えき》

約2分

雨の中、由比ヶ浜駅でひとりたたずむ依里子

江ノ電は単線なので、あちこちですれ違いのための待ち合わせをする

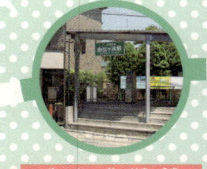

線路脇に出入り口が!?

間近に見る江ノ電は迫力あり!

線路に沿って歩いてみよう!

極楽寺駅《ごくらくじえき》

約3分

緒方が待ち合わせる相手は?

稲村ヶ崎駅《いなむらがさきえき》

約4分

藤沢に向かって
出発!

大仏が描かれた電車

家々の間をすり抜けて
いく江ノ電

先頭に乗って
運転気分を味わおう!

海を見ながらすれ違い!

駅以外ですれ違いが見られるのはここだけ!

ホームと線路の向こうに階段が!?

約4分

七里《しち》里《り》ヶ《が》浜《はま》駅《えき》

駅を降りると潮の香りがする

鎌《かま》倉《くら》高《こう》校《こう》前《まえ》駅《えき》

約2分

第1回関東の駅百選に選ばれた駅舎

心地よい木製の椅子に座って目の前の海を見よう!

床が木製の車両もあって不思議と心が休まる

クラシカルで高級感あふれる
車両が近づいてきて…

さらに近づいて…

実は違うデザインの車両が
連結されていたりする！

路面電車に変身！

江《え》ノ《の》島《しま》駅《えき》

約2分

約3分

腰《こし》越《ごえ》駅《えき》

江の島への最寄り駅

徒歩15分で江の島へ

ホームが短いため、
ドアの開かない車両
があるので注意！

腰越駅を出た上り電車は大きな
カーブを描いて海辺に出る

藤沢駅《ふじさわえき》

JRと小田急江ノ島線に接続

約2分

石上駅《いしがみえき》

藤沢に近づき、やや賑やかな駅

約2分

柳小路駅《やなぎこうじえき》

ここも無人駅！

約2分

別荘地・鵠沼にある駅

鵠沼駅《くげぬまえき》

約3分

湘南海岸公園駅《しょうなんかいがんこうえんえき》

住宅街にある無人駅

この区域は観光客はほとんど乗り降りしません。
また、江ノ島駅から藤沢駅は藤沢市になります。
市民の生活を支えながら、江ノ電は走ります。

2章 すずの鎌倉さんぽ道

よその土地から
やってきた
すずが
観光気分で
海街を
歩きます！
どんな発見が
あるのかな？

鎌倉駅～鶴《つるが》岡《おか》八《はち》幡《まん》宮《ぐう》を遊ぶ

小《こ》町《まち》通《どお》り・若《わか》宮《みや》大《おお》路《じ》周辺

土・日・祝日は特ににぎわうこの2本の道は、鎌倉駅と鶴岡八幡宮を結ぶショッピング通り。吟味した素材を使ったスイーツ・甘味にお食事や和風小物など、遊楽がたくさん…！その中からセレクトしたお店をご紹介します。

段葛
二ノ鳥居
鎌倉警察署
鎌倉
警察署前
豊島屋 本店
玉子焼 おざわ
鎌倉五郎 小町通り本店
鎌倉
ニュージャーマン
鎌倉駅前本館
鎌倉壱番屋
小町店
小町通り
鎌倉駅 東口
豊島屋
鎌倉駅前
扉店

小町通り・若宮大路周辺

鶴岡八幡宮
三ノ鳥居
八幡宮前
若宮大路
遊楽まっぷ
いも吉館
鎌倉本店
三河屋
本店
酒
鉄の井
鎌倉点心
鬼頭天薫堂
和らく
鎌倉壱番屋
いも吉館
小町通り店
聖ミカエル
教会

小町通り

鎌倉駅東口ロータリーの、赤い鳥居からはじまるストリート。
若宮大路と平行にのびていて、様々なショップが建ち並んでいる。

若宮大路

源頼朝が造ったという、鶴岡八幡宮の参道があるストリート。
入り口の巨大な狛犬が壮麗な段葛は、春に咲く満開の桜も見所。

アツアツでふわっと

❖玉《たま》子《ご》焼《やき》 おざわ

ダシがきいていて、ほどよい甘さの厚焼き玉子が絶品の玉子焼専門店。丁寧に焼かれた玉子焼は、リピーターも多い。また味がしっかり染みたとりそぼろをのせた丼は、ピリッとくるショウガが絶妙のさっぱり味。

玉子焼御膳（＋ごはん・みそ汁つき）／1200円。

とりそぼろ御飯（＋みそ汁つき）／950円。

🕐12：00～17：30
（売り切れ次第終了）
☾火曜日定休
✆0467-23-5024
MAP P.90

明治生まれのハイカラ・サブレー

❖豊《と》島《しま》屋《や》 本《ほん》店《てん》

フレッシュバターがふんだんに入った、鳩サブレーのお店。さくさくした食感＆後を引く味は、飽きのこないおいしさ。ころんとした小鳩型らくがんや季節限定商品も人気。ほかレターセットなど、本店来店のみの限定販売品“鳩グッズ”がある。

鳩サブレー／5枚入り525円～。手さげはピンクとイエローの選べる2色。

古い鳩サブレーの抜き型。

🕐9：00～19：00
☾水曜日定休
（祝日の場合は営業）
✆0467-25-0810
MAP P.90

香ばしい手焼せんべい

鎌《かま》倉《くら》壱《いち》番《ばん》屋《や》 小《こ》町《まち》店《てん》

秋田小町のお米を有機生醤油でシンプルに焼く、おせんべい屋さん。化学調味料を使わない風味豊かなぬれせんべいや、生醤油をたっぷり漬けて味つけを濃くした、二度づけせんべいも絶品。

焼きたてが店頭で食べられます。

しょうゆせんべい／ 50円～。手ごろな値段で買えるのがうれしい一枚。

10：00～18：30
無休
0467-22-6156
MAP P.90

花のお菓子に出会える

鎌倉菓子《かまくらがし》鎌《かま》倉《くら》五《ご》郎《ろう》小町通《こまちどお》り本店《ほんてん》

季節を目で楽しめる、可憐な旬の生菓子が並んだ銘菓店。月の神様のおつかい・うさぎを表面にあしらってクリームを間に詰めた上品なおせんべいや、市松模様のチョコをはさんで薄く焼いたラングドシャが魅力。

鎌倉半月／6枚入り600円～。小倉クリームと抹茶クリームの2味せんべい。

花かまくら／8枚入り525円～。抹茶風味・さくら風味の特製チョコサンド。

10：00～19：00
無休
0467-24-4433
MAP P.90

食べ歩きもうれしい

豚《ぶた》まんじゅう専《せん》門《もん》舗《ぽ》鎌《かま》倉《くら》点《てん》心《しん》

キュートな豚の置物が目印の、豚まんじゅう店。やわらかい角切りの肉にシャキシャキした竹の子が具の豚まんは、珍しいうずらの卵入り。ほかにもお肉不使用のヘルシーな海鮮まんや、チーズを加えた手包みカレーまんは女性に好評。

豚まん／380円。

ふかしたての豚まんや肉ちまき。その場でイートインOK。

🕙10：00～18：00
無休
☎0467-61-1601
MAP P.91

自然の甘さがカラダにやさしい

いも吉《よし》館《やかた》 鎌《かま》倉《くら》本《ほん》店《てん》

おいもをベースに展開したスイーツ店。味はしっかり、口当たりはしっとりの三色スイートポテトは、手間ひまかけたすべて手しぼり。抹茶の風味やおいもの旨味が広がる、色鮮やかなソフトクリームもオススメ。

あじさいソフト／295円。紫いも×抹茶のミックスソフトクリーム。

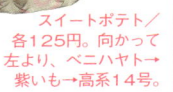

スイートポテト／各125円。向かって左より、ベニハヤト→紫いも→高系14号。

🕙9：30～18：00
無休
☎0467-25-6038
MAP P.91

匂いで四季の和を感じる

香司《こうし》 鬼《き》頭《とう》天《てん》薫《くん》堂《どう》

つい足をとめたくなる薫りが漂う、お香専門店。お線香・香木・香炉など薫りに関係するものが多彩にある。伽羅・白檀など幽玄の薫りや、フローラルな甘く優しい薫りもきけるので、お気に入りに出会えるはず。

お地蔵様香立／2625円。

香水香 花ことぶき／3675円。金木犀・牡丹・あやめ 各10本入りお香。

10:00〜18:00
無休
0467-22-1081
MAP P.91

伝統とかわいいがコラボ

箸《はし》専《せん》門《もん》店《てん》 和《わ》らく

「鎌倉彫」はもちろん、お弁当用のエコ箸としても人気の携帯用お箸＆ケースセットもそろう、お箸のお店。誕生花や干支を描いた愛らしい箸もあり、大切な人とおそろいにしたり、引き出物など贈り物にしても喜ばれる。

携帯用干支箸／840円。名前を入れられます。（1膳／200円）

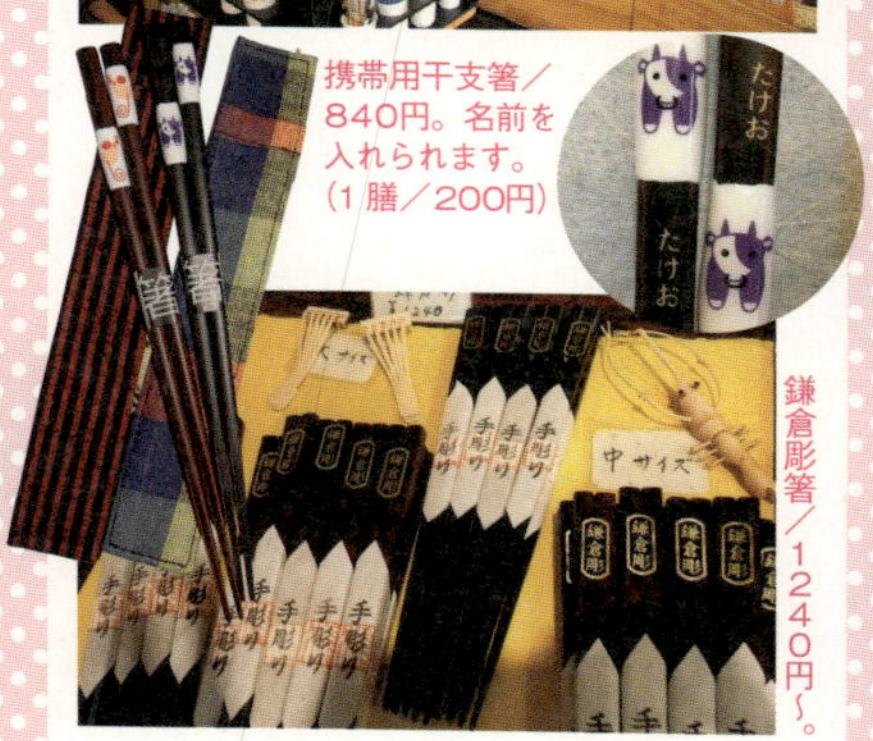

鎌倉彫箸／1240円〜。

10:00〜17:30
（土・日・祝日は、〜18:30）
不定休
0467-24-0463
MAP P.91

鎌倉ニュージャーマン
かまくらカスター

鎌倉駅前で 39 年愛され続ける洋菓子

香田家で大人気のチョコレート105円

定番のカスタード105円

千佳が買ってきたかまくらカスターですが…

この後、怒りバクハツ!?

9:00～20:00
(日・祝は19:00まで)
年中無休
0467-23-3851
MAP P.90
http://www.yougashi.co.jp/

香田家おすすめ!

鎌倉駅東口、バスロータリーをはさんで目の前にある鎌倉駅前店。一歩店内に入れば、甘い香りと華やかな色彩のお菓子に、つい目移りしてしまう。季節ごとに新しい味に出会えるかまくらカスターは、鎌倉みやげの定番。すぐに食べたくなったら、二階の西洋茶房でお茶と一緒にいただける。

各種洋菓子のほかに、入口近くのラックにはパンが並び、地元の人たちの食卓に上っている。

バラのマドレーヌはプレーンとアールグレイの2種、各294円

しっかりした噛みごたえのドイツパンのほか、黒ゴマあんパンなども

菊勇
原酒
鎌倉

通常より高めのアルコール度数の菊勇原酒はロックか冷やがおすすめの飲み方

三河屋《みかわや》本店

今年で創業108年！愛飲家が通う名店!!

9：00〜19：00
火曜定休
0467-22-0024

MAP P.91

佳乃おすすめ！

三河屋本店は、なんと明治33年創業。現在の建物も昭和2年の建築で、鎌倉市の景観重要建築物に指定されている老舗の酒屋さんである。敷地の中には蔵や荷物運搬用のトロッコも残されていて、近代の商業文化を伝える貴重な建築物となっている。

店主さんのお奨めは、伊勢原市の蔵元と直接契約しているオリジナルの日本酒「菊勇原酒」（1470円720㎖）。また、地元の「鎌倉ビール」（515円330㎖）など。

店内には古びた徳利や、看板、杉玉も飾られ趣きを感じさせる

鎌倉ビール

鎌倉ビールは星、月、花の三種の味

飲み過ぎ注意!!
おねえちゃんや妹《いもうと》にはいっつも大酒《おおざけ》のみだの酒乱《しゅらん》だのってはははははは

いくら美味しくても佳乃のように飲みすぎは厳禁です！

店頭には様々な種類のお酒が並ぶ。呑兵衛にはたまらない光景！

海街ねこ写真館

海街MAP

北鎌倉

北鎌倉の円覚寺、建長寺といった大きなお寺はぜひ訪れてほしいところです。また、東慶寺や明月院など、こぢんまりしていて情緒たっぷりのお寺もあるので、一日かけてゆっくり散策してみてね。

朋章や里伽子たちの通う、北鎌倉高校

どうすればいいんだ
あーこの
気マズイ沈黙

陸上競技の練習をさぼった鷲沢と緒方

JR北鎌倉
円覚寺
北鎌倉女子学園前
弁天堂
茶屋
松花堂
北鎌倉
明月院
明月院
東慶寺
ハナショウブ
浄智寺
葛原ヶ岡ハイキングコース
扇ガ谷トンネル
上町
長寿寺
坐禅
建長寺
建長寺
亀ヶ谷坂切通し
↑北
↓鎌倉
なんだろう
あの2人
知り合いなのか？

朋章と里伽子の姿を見ているのは鷲沢

北鎌倉駅

朋章たちの通う北鎌倉高校への駅

▲ＪＲ横須賀線、北鎌倉駅

〝「MISS《ミス》・KISS《キス》・BF《ボーイフレンド》」優勝者《ゆうしょうしゃ》は神奈川県立《かながわけんりつ》北鎌倉高校《きたかまくらこうこう》3年《ねん》藤井朋章《ふじいともあき》くんに決定《けってい》〟だってー
MISS KISS BF
1位
知《し》らなかった？先月号《せんげつごう》写真《しゃしん》載《の》ってたんだよ
だれ出《だ》したんだろってみんな言《い》ってて
2位
これ学祭《がくさい》の時《とき》さあ写真部《しゃしんぶ》が売《う》ってたやつだよー
あたしももってるもん♥

北鎌倉高校という学校は実在しませんが、朋章たちの通うこの学校は、北鎌倉にあるという設定になっています。

鎌倉の中心部に比べ、静かで落ち着いたところです。

緑豊かな環境の中で高校生たちは勉強し、スポーツで汗を流し、そして悩みます。校庭の木陰に佇む鷺沢の悩みとは⁉

北鎌倉高校近辺(!?)

鷺沢と緒方の青春、それは急坂を上るがごとし！

photo by Akimi Yoshida

すんまへん
べ 別《べつ》に おまえがあやまる ことじゃないけど

この古い石段は、実は鶴岡八幡宮の西側にあります。古い鳥居は現在、新しいものになっています。八幡宮の西鳥居を出て、バス通りを隔てた左斜め向かいにある小道を入ってください。

おれ あんなこと 言《い》いましたけど 別《べつ》にあの人《ひと》と はりあおー ゆーんやないんです
ただどーしても 黙《だま》っておれへん かったから ゆーてしもたけど

photo by Akimi Yoshida

北鎌倉から江ノ電へ

彼らの通学路（!?）を歩いてみよう！

▼むきだしの崖は鎌倉ならではの地形

▲横須賀線の線路と平行する小道

▲隧道の向こうに北鎌倉駅が !!

▲左側は北鎌倉駅のホーム

あーなんかもう
ガクランじゃ
あちーな――
そっすねー
鎌倉
KAMAKURA

ＪＲ鎌倉駅を経て江ノ電の鎌倉駅へ。ガクランが重苦しく感じる季節になりました。江ノ電の到着を待ちながら話題はいつの間にか、朋章のよくないウワサに…。

まー確《たし》かに
顔《かお》はええかも
しらんけどぉ
いかにも
タラシーって感《かん》じや
ないですか
好《す》かんわ

智寺
Temple

you should check
these shops restaurants and…

おすすめショップ＆グルメ

味よし眺めよし！　円覚寺境内のお休み処

弁《べん》天《てん》堂《どう》茶《ちゃ》屋《や》

9：00～17：00（11月～3月は16：00）
年中無休
0467-25-0411

しっとりしたあんが上品なあんみつ。ほどよい甘さが疲れを癒す。600円

黒豆とゆずの甘さのバランスが絶妙！　おまけの栗もおいしいゆず寒天、600円

春には桜が咲き誇る円覚寺境内

円覚寺散策の途中で、北鎌倉の山々を見ながらひと息入れよう。国宝の洪鐘《おおがね》を目指して急な石段を上っていくと、見晴らしのよい所に茶屋はある。春には桜、秋には紅葉が眺められ、天気がよければ富士山も。

お菓子付き抹茶や、ゆずジュースなどメニューも充実。夏のところてん、かき氷もおすすめだ。

古都鎌倉で老舗の和菓子を！

松花堂

9：00～17：00
月曜定休
0467-22-6756

(左)粒あんが詰まった菊もなか 216円
(右)白あんの焼き菓子くるみ焼 216円

北鎌倉駅から徒歩で1分という近さ！

由緒ある銘菓、あがり羊羹は1本 1404円

こちらの老舗の一番人気はあがり羊羹。江戸時代、尾張徳川家へ御用の品として献上され、茶道羊羹として用いられました。献上するという意味の「あがり」が名前の由来です。

水羊羹と蒸し羊羹の中間のような柔らかさ、甘さ控えめで上品な味わいの生菓子タイプの羊羹です。あっさりとしてやさしい舌触りなので、冷やしていただくとおいしさ倍増です！

…あのずっと先なんだね
湘南の海も当分見納めだな
鎌倉を離れようとしている朋章

お姉ちゃんたちが小さい頃お父さんと行った思い出の地、江の島。坂道がきつくてちょっと大変だけど、突端の稚児ヶ淵まで行くと海がおっきく迫ってきて気分爽快！　そこから見る夕日も、とてもきれいなんです。

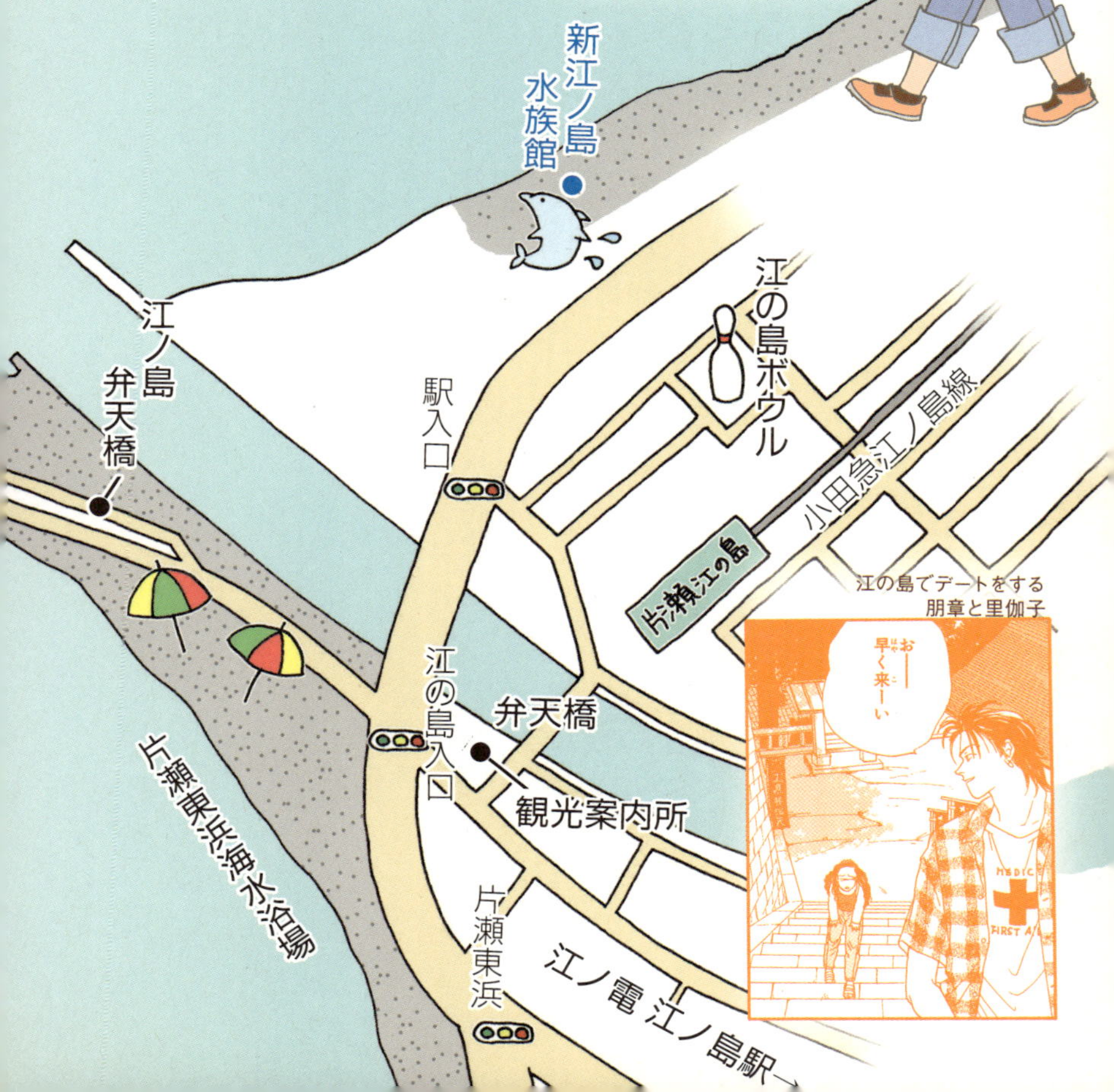
新江ノ島水族館
江の島ボウル
江ノ島弁天橋
駅入口
小田急江ノ島線
片瀬江の島
江の島入口
弁天橋
観光案内所
片瀬東浜海水浴場
片瀬東浜
江ノ電 江ノ島駅→
おーー早《はや》く来《こ》ーい

江の島でデートをする朋章と里伽子

海街MAP
江の島
稚児ケ淵
富士見亭
江島神社奥津宮
江の島岩屋
龍恋の鐘
LONCAFE
江の島サムエル・コッキング苑
江の島展望灯台
江島神社辺津宮
江島神社中津宮
江の島アイランドスパ
江ノ島大橋
江ノ島ヨットハーバー
北→

江の島

湘南のシンボルには見所、遊び所たっぷり!!

▶藤井朋章

▶川奈里伽子

▶江島神社の参道にはお土産古や食事処が並び大変賑わう

「ラヴァーズ・キス」の朋章と里伽子も訪れた江の島！　この島には歴史ある名所や、新しいスポットが盛りだくさん。周囲約4キロの小さな島だけど、遊ぶなら一日がかりになることも。気合いを入れて楽しもう!!

◀家族連れにも人気でした！

❖ エスカー

通常営業9：00～17：00
（土・日・祝は19：15まで）
無休
全区：350円

苦もなく頂上まで行けるエスカレーター。数百段の階段で徒歩だと20分程だけど、このエスカーだと約5分！　高齢者や子供、里伽子のような体力に自信のない人にはとても便利!!

明治時代の英国人貿易商の名前にちなんだ庭園。苑内にある展望灯台の海抜は約１００ｍ。伊豆大島や富士山までもが見渡せる絶景。美しい夕景も必見！

❖ 江の島展望灯台／江の島サムエル・コッキング苑

MAP P.107

9：00～17：00（季節・気候により変更あり）
（土・日・祝は20：00まで）
無休
江の島サムエル・コッキング苑 200円
江の島展望灯台 300円（コッキング苑入場後の料金）
0466-23-0623

▶まさに目を見張る高さです

◀奥津宮の鳥居

❖江島神社

P.120 参照

辺《へ》津《つ》宮《みや》、中《なか》津《つ》宮《みや》、奥《おく》津《つ》宮《みや》の三つの宮からなり、三人姉妹の女神を祀っている神社。建立は５５２年ととっても古く、島の洞窟（岩屋）から始まったと伝えられています。

❖ 龍恋《りゅうれん》の鐘《かね》（恋人の丘）

MAP P.107

¥ 無料

☎ 0466-22-4141

龍恋の鐘

ずっと一緒だよ
2008.5.28

◀幸せを祈る鍵が無数にあります

天女と五頭龍の伝説にちなみ建てられた鐘。鐘の周りの柵にはカップルが願をかける鍵で一杯になっています。

❖ 稚《ち》児《ご》ヶ《が》淵《ふち》 MAP P.107

建長寺の僧に恋をしたお稚児さんの白菊がここから身を投げ、僧もあとを追ったという悲恋話がこの地名の由来。ちなみに、この地は関東大震災で1m も隆起したのだといいます。

◀今では釣りの好ポイントになっている稚児ヶ淵

❖ 江《え》の島岩《しまいわ》屋《や》

MAP P.107

🕘 9：00〜17：00（3月〜10月） 9：00〜16：00（11月〜2月）

☾ 無休（天候により休みあり）

¥ 500円

☎ 0466-22-4141

波の浸食でできた二つの洞窟。内部には石仏や幻想的なオブジェなどがあります。内部は整備されていて、安全に見学することができます。

▶ロウソクを借りて歩く場所もあり

すごーい
江《え》の島《しま》って海側《うみがわ》はこんななんだ
来《き》たことねーだろこんな奥《おく》まで

◀島の中腹から眺めるヨットハーバー

江の島の東側にも、様々なお楽しみスポットがあります。島の入り口近くのオリンピック記念噴水池、かつては島だった聖天島公園、ヨットハーバーのある湘南港などなど。

▼ヨットハーバーにある灯台。湘南港の船の安全を守る

◀防波堤では大勢の人が釣りを楽しむ

「海街」の千佳的には、白灯台のある防波堤でする釣りがオススメかな。

でも楽しみ方は人様々。自分なりのお気に入りスポットを見つけてみよう！

▼この日はサバ、アジ、石鯛の稚魚が釣れていました

江の島アイランドスパ

新感覚のヒーリングスポット！

江の島散策で汗をかいたあとはこのアイランドスパでくつろいでみては！　天然温泉、水着着用で男女一緒に楽しめるプールエリア、オリジナルオイルを使ったメニューが豊富に揃うトリートメントなどのある総合スパ施設です。レストラン施設も充実し、江の島の新名所となっています。

▼地下1500mから湧く男女別の富士海湯
イメージキャラクター：さとう珠緒

◀水着着用の露天泉。湘南の夕景にうっとり！

▲プールエリアにある滝泉

江の島アイランドスパ

MAP P.107

10：00〜22：00（3月〜11月）
受付は21：00まで
11：00〜21：00（12月〜2月）
受付は20：00まで
無休（但しメンテナンスのため臨時休業あり）
2650円（他の料金設定あり）
0466-29-0688

香田家の新たな思い出づくりに訪れてほしいスポットのひとつ

新江ノ島水族館

海の生き物たちにじっくり癒されよう!!

▲8000匹のイワシが泳ぐ相模湾大水槽。相模湾の自然を再現するため造波装置を設け、90種2万匹の生物が見られる

相模湾に面して、江の島から遠くは富士山をも臨む絶好のロケーションにある水族館です。巨大水槽に泳ぐ魚たち、川魚のジャンプ水槽、幻想的なクラゲの観察ホール、ペンギンの驚きの行動、そしてダイナミックなアシカとイルカのパフォーマンス！　子供から大人まで楽しめる展示とショーがいっぱい。

◀南国風な水族館の外観

▶愛らしいペンギンの生態も観察可能

▶イルカやアシカの壮大なショー

◀クラゲファンタジーホール

❖ 新江ノ島水族館

MAP P.106

🕘 9:00 ～ 17:00（3月～ 11月）
GW・夏休みは変更あり
10:00 ～ 17:00（12月～2月）
年末年始は変更あり
※最終入場は閉館時間の１時間前

☾ 無休（臨時休館の場合あり）

¥ 2000円

✆ 0466-29-9960

瑞心門

you should check
these shops restaurants and…

おすすめショップ&グルメ

目の前に広がる絶景と海の幸を堪能!

富士見亭

9:00~日没
不定休
(悪天候時は休業)
0466-22-4334

サザエを卵でとじた江の島丼は1050円。自家製ぬか漬けとの相性もOK(420円)

サザエの丸焼き2個1050円、焼きハマグリ840円、お酒のお供にちょうどいい!

お座敷のさらに奥の個室は20名までOK。団体さんはご予約を!

窓の外には海と空、テラス席の下には稚児ヶ淵。晴れた日には富士山が見えることも。名物江の島丼はもちろん、生シラス、鯵のたたき、アワビやサザエの刺身など、海の幸が盛り沢山。生シラスは、シーズン中も入荷しない時があるので確認を。また、珍しいのは、かき氷が年間通して食べられること。店までの道のりを歩いて汗をかいたら、真冬でもおいしい!

こだわりのフレンチトースト専門店

LONCAFE(ロンカフェ)

12:00~日没
不定休
(悪天候時は休業)
0466-28-3636

ピンクグレープフルーツとオレンジとアプリコットジュレは630円、ドリンクとセットで976円

メニューで迷ったらまずこれ! プレーン525円、日替わりドリンクとセットで892円

海に面したオープンエアの店は解放感いっぱい! 青い海を見ながらの味はまた格別!

外はサックリ、中はしっとりの絶妙な食感のフレンチトースト。秋はカボチャのモンブラン、冬は生チョコレートなど、季節ごとにメニューが変わり、常時10種類のフレンチトーストを味わえる。

サムエル・コッキング苑内にあり、江の島に祀られている縁結びの神様・龍神にちなんで龍(ロン)カフェに。ランチセット(1050円~1365円)もある。

海街恋愛事情でご案内

縁結びご利益寺社

登場人物たちの、恋の行方も気になる
海街ワールド。縁結びにご利益のある
寺社と一緒に紹介します！

ラブラブ寸前♥

千佳の恋

P.117へ

恋愛とは縁遠そうな千佳。だけど実は、一番順調なのです。

始まったばかり

風太の恋

P.118へ

サッカーひとすじだった風太はすずに出会って…。

切ない片想い

美帆の恋

P.119へ

いつも快活な美帆も、恋のこととなると不安にかられ…。

男運ゼロ !?

佳乃の恋

P.120へ

千佳曰く「酒で男運のほとんど損してるオンナ」とか…。

海街名物夫婦

中村夫妻の愛

P.121へ

二人三脚で、肉屋を切り盛りする仲良し夫婦！

鶴岡《つるが》岡《おか》八《はち》幡《まん》宮《ぐう》

6：00〜20：30
無休
拝観料無料
0467-22-0315

MAP P.91

千佳の恋

▲浜田店長
使用後
使用前

髪型までおそろいにして、浜田店長にラブをアピール！
店長もまんざらでもなく、うまくいっている様子。

源氏の氏神・八幡神をおまつりする鶴岡八幡宮は、鎌倉の顔とも言える有名な神社。段葛や旗上弁財天社社殿の裏にある姫石など、源頼朝公・北条政子夫婦の愛にあやかった縁起物が伝わります。

やっぱ人間《にんげん》カオじゃないわよねェ
ここと思えば
また あちら
そ そうね
なに想像《そうぞう》してっか知《し》らないけど
あんまり知りたくない気するけど

源義経と静御前はもう一組の有名なカップル。自分は静のつもり(!?)の千佳。

縁結びお守りCheck!

縁むすび守
(をだまき守)

600円

鶴岡八幡宮
縁むすび守（をだまき守）

静御前が義経を想って詠んだ歌にちなんで、ふたつの糸巻（をだまき）がついています。

風太の恋

今は友達の域を出ない恋。風太少年が男になる日は来るの!? すずのほうはまったく意識していないようですが?

❖安養院《あんよういん》

🕗 8：00～16：30
休 7月8日、12月29日～31日休み
¥ 拝観料100円
☎ 0467-22-0806

MAP P.4

北条政子が源頼朝の冥福を祈り、建立した寺が前身と伝わる安養院。本尊はご縁も取り持つ千手観世音菩薩です。

本堂の裏手には、政子のものと伝わる墓が。

お参りすれば、勇気を出すための後押しをしてもらえるかも!

縁結びお守りCheck!

えんむすび守
600円
頼朝と政子の縁になぞらえたお守り。

なす鈴
500円
事をなすの言葉にあやかり、なすのモチーフが。

❖成就院《じよう じゆ いん》

🕗 8：00～17：00
無休
拝観料無料
0467-22-3401

MAP P.15

美帆の恋

▲裕也

あたし裕也《ゆうや》が
好きなの!!
だ だから…
……
号泣
おねがいだから
死《し》んだり
しないでええ～～

同じサッカーチームの裕也を想い続けてきた美帆。
その気持ちは、涙なしには口に出来ないほどなんです。

あじさいで有名な成就院は、その名前からも連想できるように、恋愛〝成就〟の寺としても親しまれています。本尊の不動明王像の腕が、恋人と組んでいるように見えることから「縁結びのお不動様」とも言われています。

今日《きょう》はとっても
はかなげに見《み》える

女の子らしい一面もある美帆。ここに来たことがあるかもしれません。

縁結びお守り Check!

縁結御守

500円

縁結御守
縁結御守

良縁を祈願する巻物形のお守りは、一番人気があるそう。

佳乃の恋

本気だと気づいた時には、終わってしまった朋章との恋。傷ついてひとつ大人になった佳乃に、次の恋は来る!?

江《えの》島《しま》神《じん》社《じゃ》

8:30〜17:00
無休
拝観料無料
奉安殿のみ拝観料150円
0466-22-4020

MAP P.107

江の島内にある3つの神社の総称である江島神社は、カップルの参拝客も多く訪れます。縁結びのほか、芸能上達などのご利益もあるそう。

▲鳥居の奥は、龍宮城を模した瑞心門
◀華やかな朱塗りの中津宮

縁結びお守りCheck!

佳乃もねらっていたかもしれない江の島デートは、里伽子としました。

むすび絵馬

500円

自分と結ばれたい相手の名前を書いて、「結びの樹」と言われるイチョウの大木に奉納します。

❖宝戒寺《ほうかいじ》

8:00〜16:30
無休
拝観料100円
0467-22-5512
MAP P.4

中村夫妻の愛

ジーコとロナウジーニョに似ていることで有名な、肉屋の中村夫妻。サッカー少年達を支える優しい夫婦です。

秋には萩が有名なお寺ですが、境内にある大聖歓喜天堂に収められている秘仏・歓喜天に、夫婦円満や恋愛成就などのご利益があると言われています。

縁結びお守り Check!

夫婦和合のお守り

600円

手作り感あふれる大根のモチーフがついたお守り。ちゃんとふたまたになっています。

大根が好物とされる歓喜天。それゆえ、お酒と大根（特にふたまたの大根）を奉納すると、願いをかなえてくれるとか。

だってよっちゃんのオトコっていっつも飲《の》み屋《や》のバイトか飲《の》み屋《や》で知《し》りあったガテン系《けい》のにーちゃんじゃんか
生おかわりー
ハイ！よろこんで！
いい返事だ
キミもおかわりー
そっ そんなことないわよ！
ある
おれトビなんですー
えっ 空飛んでんの？
そーじゃなくて トビ職
ま、いーや チューハイ おかわり
ない！
おれ左官っス
えっ ヤカン？
いや そーじゃなくて かべぬったり
ま、いーや おチョーシ もう一本
あるっ！

佳乃のご利益スポットは街の居酒屋です。
どちらかというとガテン系が好みで
さらに年下なら文句なし！

湘南オクトパス監督・ヤスの

海街坂道分析カルテ

鎌倉を歩いていると、坂道やちょっとした階段が多いことに気づくはず。知らぬ間に足腰を鍛えることができ、スポーツの基礎作りにぴったりの土地じゃないかな。ここではおれが厳選した坂や階段を紹介するよ。

切通し編

Karte no.1

亀《かめ》ヶ《が》谷《やつ》坂《ざか》切《きり》通《どお》し

MAP P.100

涼しさ ★★★★☆

切通しとは、鎌倉時代に山を切り開いて作った道のこと。山に吹く風の通り道となる亀ヶ谷坂は、夏でも肌寒いほどだ。

Karte no.2

化粧《けわい》坂《ざか》切通し

MAP P.75

険しさ ★★★★★

旧態をとどめるこちらの化粧坂は、なかなかの急勾配。のぼった先は源氏山公園で、チームで遠足に来るのもいいかもな。

Karte no.3

釈《しや》迦《か》堂《どう》切通し

バス停杉本観音より徒歩約8分

見ごたえ ★★★★★

静けさに包まれた森の中に現れる、この巨大な岩窟門は大迫力だよ。堂々としていて、エネルギーをもらえる感じだね。

Karte no.4

佐助近辺の坂

風情　★★★★☆

石が線路のように中央に並べられた道。この敷石が、趣ある鎌倉の道の表情を作り出しているよな。

Karte no.5

長谷近辺の坂

懐かしさ　★★★☆☆

上の写真の坂もそうだけど、後ろには小さな山が見えるだろ？　そういう山が多いから、鎌倉には坂や階段が多いんだ。

Karte no.6

すずの家に向かう坂

桜満開度　★★★★★

風太が浅野を送っていく時に通った坂道。遅咲きの桜が楽しめる、地元民のお花見スポットだ。…風太、やるじゃないか。

Karte no.7
扇ガ谷近辺の階段

深緑度　★★★★☆

苔（こけ）むして緑に溶けこむ階段。雨が降ったあとは、木々の香りが立ちこめて気持ちいいぞ。

Karte no.8
木島メンタルクリニック前の階段

山の上度　★★★☆☆

体力のある浅野もお手上げらしい。ここは、坂の上にある亀ヶ谷中学のさらに上にあるみたいだから、相当山の上だな。

Karte no.9
鎌倉大仏近くの階段

木漏れ日度　★★★☆☆

この階段は人家に続いているんだけど、家はまだ先にある。毎朝ここにある郵便受けまで、新聞を取りにくるのかな？

3章　海街をさらに楽しむ

山あり海あり
歴史あり！
すずの住む
海街には
まだまだ
楽しみが
いっぱいあります。

海街古民家探訪

その一 香田家 お宅拝見

古都・鎌倉には、大正～昭和初期の民家が多く残ります。
その家々が作る
懐かしさのある景観を
見て歩くのも、鎌倉の
楽しみ方の一つ♡

今《いま》行《い》く
すずー
おぜん立《だ》てしといて
はぁーい
すいませんねー
階段《かいだん》狭《せま》くて
大丈夫《だいじょうぶ》?
あがりそう?
ハア
なんとか

全体図

姉妹４人で、この古い家に暮らす香田家。その暮らしぶりは、すず曰く「女子寮」のようとのこと。みんなで協力し合って住んでいます。

玄関・階段

引き戸の玄関の横には、すぐ階段が。２階に家具を運ぶのは一苦労。

庭

広い庭には、梅やあじさいなど四季折々の植物が。たまにアオダイショウも現れます。

縁側

憩いの場となる縁側は、春には梅の実の選別場所になります。

門

家の入口には背が低めの門があり、周りは垣根で囲われています。

2階

すずの部屋

すずの部屋となった2階の一間。でも居間にいることの方が多そう？　窓からは梅の木が見えます。

千佳・佳乃の部屋

ふたりの部屋はまだ詳しく出てきていません。たぶん2階にあると思われます。

寝《ね》てる
早《はや》っ
コドモか

1階

居間

ごはん時に全員そろうのは珍しい香田家。でも、居間での会話や食事のシーンがよく出てくることから、ここが大切な場所であることがわかります。

おはよ──
あっそーか
お姉《ねえ》ちゃん今日《きょう》
休《やす》みか
おはよー
チカ──
新聞《しんぶん》とって
きてー
OK《オーケー》
ねーごはん
よそっちゃって
いいの？
いいわよ

台所

広いとは言えない台所ですが、床下は戸板を外して貯蔵庫としても利用可能。

あら ほんとだ
意外《いがい》に
まろやか
ねー？
ほらあ やっぱ焼酎《しょうちゅう》は
あのくらい入れた
ほうがいいんだよー
でもさ
アルコール抜きの
梅酒《うめしゅ》って それもう
酒《さけ》じゃなくねー？
いーんだよ
別《べつ》に
そういえば すず
敬語《けいご》じゃなくなって
るよね？
そうだっけ？

仏間

毎朝お供えは忘れません。

やかま
しいっ!!
なにが
あはーんだ
バカ女《おんな》っ！
さっさと
行《い》けよっ!!
ガラッ
イエイ

幸の部屋

居間で騒ぐふたりを一喝！

その二 突撃！古民家訪問

香田家が実在したら、どんな感じなんでしょうか？ある夫婦が暮らす鎌倉市内の古民家を訪ねて、取材させていただきました！

築70年近くになるというこちらの木造の家。古い家に住みたいと思い探していたところ、めぐり会ったそう。

階段はやや急ですが、角のとれた木の感触が、足の裏に心地よいのです。

玄関は香田家と同じく引き戸。段差があるので、腰掛けて靴を脱ぐことができます。

2階からの眺めもよい雰囲気。向かいの古民家とその裏手の山が望めます。

2階の窓には、こんな懐かしいかぎが。

２階の廊下は日当たり良好。右の部屋は寝室として使っています。

メイン空間の居間には、和風＆洋風のアンティークな家具を配置。香田家の居間よりオシャレな雰囲気!?

台所は収納が少ないので、空き空間をうまく使って、キッチン用品を整理しています。

足踏み式の古いミシンを、ダイニングテーブルにしています。ナイスアイデア！

梅酒までごちそうになりました。ありがとうございます♥

南向きの縁側と庭。夏はここで夕涼みすることも。日本の昔ながらの風景を味わえます。

その三 海街の家々

海街には風情のある民家や
住宅がたくさん。ここでは、
登場人物たちの家と
鎌倉の家々を紹介します。

尾崎酒店
尾崎酒店

酒屋を営む風太の家は、いかにも昭和の商店といった感じ。酒好きの佳乃も御用達の店。

このノスタルジックな外観も、お店の味となっています。

つり船
しらす直売
宝丸

美帆の家は、腰越の漁師さん。家のすぐ裏手は漁港で、まさに海に臨む家。

どすどす
どす
あ こっちがおとーさん
シラス持《も》ってきな！シラス！！
しらす上

美帆とその父＆兄。

サーファーのおにいさんが住んでいそうなアパート。

朋章がひとりで暮らす古いアパート。でも名前は「カマクラ・シーサイドパレス」…。

お嬢様のおうちといった感じの里伽子の家。

閑静な住宅街にある家。今にもピアノの音が聴こえてきそう。

緑の多いコテージ風の家。鷺沢家のように、裏に畑も…？

極楽寺にある鷺沢家は自然派志向な一軒家。

鎌倉には
古民家で食事の
できるお店が
たくさんあります！

店長おすすめハイキング

千佳とつきあっているという
ウワサの浜田店長。
マナスルにも登った店長に、
鎌倉のハイキングコースを
教えてもらいました。

初級 祇《ぎ》園《おん》山《やま》ハイキングコース

MAP P.4

鎌倉駅を基点に、短時間でハイキングが楽しめるお手軽コース。鎌倉市街と海を一望できる見晴台もあって、初級者向けながら達成感にひたれます！

中級 葛《くず》原《はら》ヶ《が》岡《おか》・裏《うら》大《だい》仏《ぶつ》ハイキングコース

MAP P.4

北鎌倉駅を基点に、葛原ヶ岡コースと裏大仏コースを合わせて、鎌倉の西側を縦走するコース。有名な寺社めぐりをかねて、充実したハイキングが楽しめます。

上級 天《てん》園《えん》ハイキングコース

MAP P.4

北鎌倉の建長寺から、鎌倉市東側にある瑞泉寺までの長距離コース。中世の要塞として山と海に囲まれた、鎌倉の特異な地形が実感できる本格的なコースです。

やぐらとは？…各コースのあちこちに見られる「やぐら」。これは中世のお墓で、山中の岩の斜面に横穴をあけ、石像や石塔などを置いて供養した。静かに手を合わせて歴史に思いをはせよう。

注意！

※鎌倉のハイキングコースをなめてはいけません！　気を抜けば、滑って転んだりは当たり前！　崖から落ちたりというキケンと、常に隣り合わせです！

①軽登山靴が望ましいが、せめてスニーカーなど滑りにくい靴で！

②初・中・上級コースのいずれも滑りやすく、雨の日は要注意。天候を見ながら出発しよう！

③標識はあちこちにあるので安心だが、見逃すと大変なことに。標識のある場所に来たら小休止をかねて立ち止まり、自分のいる位置を確認しよう！

初級 祇園山ハイキングコース

所要時間およそ
1時間20分

JR《ジェイアール》鎌《かま》倉《くら》駅《えき》

↓ 約10分

鶴《つる》岡《がおか》八《はち》幡《まん》宮《ぐう》

p.117

↓ 約5分

宝《ほう》戒《かい》寺《じ》

p.121

↓ 約10分

東《とう》勝《しょう》寺《じ》跡《あと》 北条《ほうじょう》高時《たかとき》腹《はら》切《き》りやぐら

鎌倉駅東口から小町通り・若宮大路を通って、鶴岡八幡宮へ向かい、八幡宮手前を右へ。宝戒寺に突き当たったらまた右へ折れ、最初の路地を左、突き当たりを右、次の突き当たりを左へ。要所に標識が出ているので、迷うことはないはずだ(①)。

東勝寺橋を渡り、道なりに行けば、ハイキングコースの入り口に出る。住宅街を抜けるといきなり雰囲気が変わり、最初の見どころは東勝寺跡と北条高時腹切りやぐら(②)。新田義貞が鎌倉を攻めたとき、北条高時が腹を切った場所だ。やぐらには高時とその一族・家臣が葬られている。

やぐらを後にして、しばらくは急な階段が続く(③)。尾根に出たら、木の根道や細い道(④)が続く。倒れた木を

①標識を見ながら行けば迷うことはない

③一気に山の上に出る急な階段

②一帯にあった東勝寺で高時は腹を切った

④足元のすぐ左は崖なので注意！

約30分

見《み》晴《はらし》台《だい》

約7分

八《や》雲《くも》神《じん》社《じゃ》

常《じょう》栄《えい》寺《じ》

妙《みょう》本《ほん》寺《じ》

本《ほん》覚《がく》寺《じ》

約20分

JR《ジェイアール》鎌《かま》倉《くら》駅《えき》

かいくぐり⑤、アップダウンを乗り越えよう。ちょっとしたアスレチックのつもりで楽しめる。ただし、木の根があらわになって滑りやすいので⑥、足をとられないように注意したい。

　道は細いけれど、ところどころ、木々の間から住宅地が見えてほっとした気分になるが、やがてうっそうとした木立を抜けると、八雲神社へ下る分岐点に出る⑦。ここから見晴台まではすぐなので、ちょっと足を伸ばして行ってみよう。

　見晴台からは鎌倉の市街地と海が見え⑧、ひと休みできる。道を引き返して分岐点に戻り、八雲神社へ下ろう。道が分かれているが、どの道を下っても下りられる。

　八雲神社を出て、左に行けばバス通りに出られるが、右に行けば常栄寺、妙本寺などに立ち寄りながら駅に戻れる。妙本寺の総門前の橋を渡って本覚寺を過ぎ、左へ折れれば若宮大路。鎌倉駅はすぐそこだ。

⑤下ばかり見ていると頭をぶつける！

⑥特に木の根の上は滑りやすい

⑦この看板が見えたらゴールは間近！

⑧八雲神社からいきなり見晴台へ、もOKだ

JR《ジェイアール》北《きた》鎌《かま》倉《くら》駅《えき》 約5分 → 浄《じょう》智《ち》寺《じ》 約10分 → 天《てん》柱《ちゅう》峰《ほう》碑《ひ》 約10分 → 源《げん》氏《じ》山《やま》公《こう》園《えん》 約10分 →

中級 葛原ヶ岡・裏大仏ハイキングコース

所要時間およそ
1時間35分

源氏山公園をはさんで前半が葛原ヶ岡コース、後半が裏大仏コース。ふたつのルートを走破すれば、見どころ満点の充実したハイキングになるはずだ。

北鎌倉駅から歩いて浄智寺を目指す。丸いポストのある角を曲がれば浄智寺で、その脇の道を上っていけばもうハイキングコースだ（MAP100）。

木の根道（①）を行けば間もなく天柱峰碑（②）。右手の崖の上にあるので、見逃さないように。現在は木立におおわれているが、昔は絶景が眺められる場所として、中国にある名峰から名前を借りて天柱峰と名づけたらしい。

途中、道が二手に分かれて迷うが、その先で合流（③）するのでご安心を。まもなく源氏山公園。葛原岡神社の前で飲み物などが買える。源頼朝像があ

①木の根道とフェンスの間の細道

②木立の中にある天柱峰碑

④源氏山公園にある源頼朝像

③階段で行くもよし、脇道を行くもよし

店長おすすめハイキング

銭洗弁財天《ぜにあらいべんざいてん》
p.76
約20分
佐助稲荷神社《さすけいなりじんじゃ》
p.78
約30分
高徳院《こうとくいん》
p.34
約10分
長谷寺《はせでら》
p.35
江ノ電《えのでん》 長谷駅《はせえき》

る広場④でお弁当を食べるのも楽しそうだ。

　公園から化粧坂を下って鎌倉駅へ行くルートもありだが、もうしばらくハイキングを楽しもう。

　公園を後にして少し下ったところにあるのが銭洗弁財天。再びコースに戻って住宅街を歩いていくと、海の見える場所があって気持ちがよい⑤。

　佐助稲荷への分岐点に来たら、少々道は険しいが急坂を下って佐助稲荷へ。手すりや鎖などを伝って下りられるようになっていて、スリルが味わえる。すぐにキツネの置き物が出迎えてくれて、いきなり本殿に到着。疲れたらここでリタイヤしてもOKだ。20分ほどで鎌倉駅に行ける（MAP75）。

　分岐点に戻り、ここから再び木の根道を歩いて⑥⑦大仏坂切通しを目指す⑧。トンネル脇の階段を下ればバス通り。その先に大仏で有名な高徳院があるので、国宝を拝んで長谷駅に向かおう（MAP14）。

⑤木々の間から海岸が見える

⑦大木をくぐるか、乗り越えるか!?

⑥大仏坂切通しまで、あと少し！

⑧手作り感たっぷりの標識が楽しい

上級 天園ハイキングコース

JR《ジェイアール》北《きた》鎌《かま》倉《くら》駅《えき》
約30分
建《けん》長《ちょう》寺《じ》半《はん》僧《そう》坊《ぼう》
約5分
展望台
約5分

所要時間およそ2時間30分

約2時間半の長丁場、少しでも楽をしたいなら、まずバスで建長寺まで行ってしまおう。ただ、北鎌倉駅から歩いても15分程度なので、静かな北鎌倉の雰囲気を楽しみながら建長寺まで歩いてみよう。円覚寺・東慶寺・明月院などに寄ってもいいが、暗くなる前にハイキングを終われるよう、きちんと計画を立てよう（MAP100）。

建長寺からハイキングコースに入るためには300円の拝観料が必要だが見どころはたくさんあるので、境内を散策しながら、寺のいちばん奥にある半僧坊を目指す。

階段を上り、カラス天狗像がたくさんある半僧坊を抜けると、いよいよコース入口。急な階段を上ったところに展望台があるのでひと休み（①）。

①半僧坊のすぐ上にある展望台より鎌倉市街

②昼なお暗く険しい山中の道

③3体の像が彫られた十王岩

④岩を削って作った階段はすべりやすい

十《じゅう》王《おう》岩《いわ》 → 約**15**分 → **百八やぐら** → 約**25**分 → **大《おお》平《ひら》山《やま》** → 約**10**分 → **天園休憩所** → 約**10**分

急坂の木の根道(②)を行くと、まもなく十王岩展望台の碑。その上方にある岩に、冥界で死者を裁くという10人の王のうちの、3人の像が刻まれている(③)。岩の形が左を向いたゴリラに似ているかも!?

十王岩を後にしてキケンな階段(④)を越え、しばらく行くと覚園寺への分岐点に出る。ちょっと寄り道して覚園寺方面へ下ると、大小さまざまなやぐら群があり、百八やぐらと呼ばれる。

分岐点に戻り、最後の急坂を越えると急に視界が開ける。そこが鎌倉の最高峰(159m)大平山山頂だ(⑤)。横浜方面のビル群などが眺められる。

山頂から岩だらけの斜面(⑥)を下ると広場になっていて、お弁当を食べるのによい。フェンスを隔ててゴルフ場が広がる。

まもなく天園休憩所(⑦)。茶屋が2軒あり、飲み物や軽食が調達できる。晴れていれば山々に囲まれた鎌倉の街と青い海が遠望できる(⑧)。

⑤鎌倉アルプスの最高峰に登頂!

⑥岩を下った広場でお弁当を食べよう!

⑦天園峠の茶屋。おでんで腹ごしらえ!

⑧鎌倉の街が一望できる天園からの眺め

天台山《てんだいさん》

約10分

貝吹《かいふき》地蔵

約10分

北条首やぐら

約10分

奥津城《おくつじょう》やぐら

約10分

天園休憩所のすぐ先の小高い岩の上も展望台になっていて、そこを下れば分岐点。右へ行けば紅葉の名所・獅子舞を経て、山を下りることができる。

ここは瑞泉寺を目指して直進しよう。コースは下りになり、少しずつ標高が下がっていく。

急な崖を下ると貝吹地蔵があるが、その崖の手前の右手が天台山。標識も何もないが、右手の斜面に2個の測量標があるので、その間を通って登っていくと、小さなほこらが現れる(⑨)。その昔、敗走して山中で死んだ北条軍の兵士たちを慰めているのだろうか。静かに手を合わせて山を下りよう。

コースに戻り、崖を下る途中にあるのが貝吹地蔵(⑩)。新田義貞に攻められ、東勝寺で自害した北条高時（138ページの腹切りやぐら参照）の首を持って北条の兵士たちが逃げ込んだのがこの山中。地蔵の吹く貝の音色に導かれてここにたどり着き、無事に首を埋葬することができたという。

⑨木々の生い茂る山中にある、ほこら

⑩赤い前掛けが目を引く貝吹地蔵

⑪瑞泉寺方面から見た北条首やぐらの入口

⑫ずらりと並ぶ北条首やぐら群のひとつ

約10分

瑞泉寺《ずいせんじ》
p.60

約10分

永福寺跡《ようふくじあと》

獅子舞《ししまい》
p.61

鎌倉宮《かまくらぐう》
(大塔宮《おおとうのみや》)
p.58

大塔宮バス停
MAP. 57

次の見どころは北条首やぐら。標識がなくわかりにくいが、右に立入禁止のフェンスが見えたら、左側の木の根元に「従是右　北條家一門」と彫られた指標がある。これは瑞泉寺方面から見て⑪の右なので、ここを左に入る。たくさんのやぐら群が現れ、その迫力に圧倒される⑫。

さらにその先の奥津城やぐら⑬を過ぎればまもなく瑞泉寺。さらに明王院方面へ行くルートもあるので、もう少し山歩きを楽しみたいと思ったら足を伸ばしてみよう。

急勾配の山道を下って狭い階段を抜ければ瑞泉寺入口に近い場所に出られる⑭。

瑞泉寺から大塔宮バス停へは歩いて10分ほどだが、途中の通玄橋を右へ行き、永福寺跡を見て獅子舞まで行くというルートも可能だ(MAP56)。ちょっとした渓谷に来た気分を味わえる。

鎌倉宮(大塔宮)にお参りしてから、バスで鎌倉駅に行こう。

⑬奥津城やぐらも迫力ありだ

⑭明るい出口にほっとする

店長おすすめハイキング

天園コースは距離が長いので、疲労感も高くなります。くれぐれも気を抜かないように。日の短い冬場は、暗くなる前に山を下りられるように計画を立てるべし！　足元さえ気をつけければとても楽しいコースなので、初心者でも尻込みせず、挑戦してみよう！

関西人から見た鎌倉

I haven't heard before

将志のびっくり番付!!

関西は捨てたんだって言ってんじゃん！

小学校まで大阪で暮らした将志。
(今ではすっかり海街の人間に…!?)
引っ越したばかりの頃の
将志から見た鎌倉とは…？

番付その1　びっくり
大仏、ふきっさらしやんか!!

500年くらい前の津波で大仏殿が流されて以来、屋根つきの家を造ってもらわれへんかったんやて。御殿の中におる奈良の大仏さんとはちごて、身近な大仏さんて感じで親しみがわいてくるから不思議や！

順応　シュールでええかも!!

番付その2　びっくり
ちっさい街やなあ!!

日本の古都ゆうたら京都やろ！　東西南北に碁盤の目ぇみたいに大通りがあって、人もぎょうさんおって。すぐ隣がこれまた大都会の大阪や！　なんや鎌倉はミニチュアみたいで、しょぼい感じがしたわ。

順応　アットホームでええやん!!

番付その3

びっくり

土産はなんで八つ橋とちゃうねん？

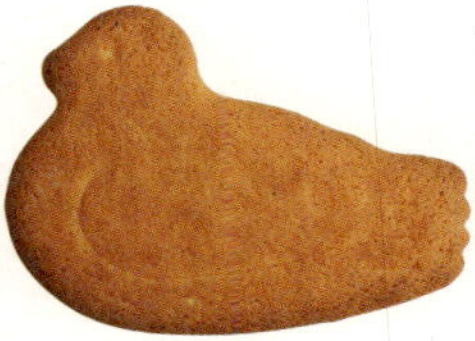

旅の土産はやっぱり京都の八つ橋やろ！　最近はイチゴ味やの栗味やの、季節感を盛り込んで飽きさせへんのや。サブレーは一年中同じ味やんか！　なんて最初は息巻いとったけど、これがうまいんやなあ…。

順応

このサブレーはいっぺん食べたらクセになるで!!

番付その4

びっくり

こんなところにロングビーチが？

江ノ電に乗ってぼんやりしとったら目の前に急に海が現れて、えらいびっくりしたで!!　ここはアメリカ西海岸かと思たわ。観光の目玉は、古都めぐりかマリンスポーツか、どっちかにせい！なんて思ったもんや。

順応

富士山も見えてきれいやなあ!!

番付その5

びっくり

あじさいゆうたら矢《や》田《た》寺《でら》やろ!!

矢田寺のあじさいの見事さは関西で知らんもんはおらんで！　こんなしょぼい街でしょぼいあじさい見たかてつまらん、て最初は思とったんやけど、これまた大きな間違いでしたわ。ホンマすんません!!

順応

明月院も最高やなあ!!

超 鎌倉マイナー史跡案内

知らなかった！

頼朝だけが鎌倉の歴史じゃありません！
知る人ぞ知る史跡をご紹介しましょう!!

よく「城塞都市・鎌倉」なる言葉を耳にします。三方を山、一方を海に囲まれた鎌倉は天然の要塞とされますが、防御のためだと言われていた切岸遺構（山の斜面を垂直に加工した遺構）は近年、その大半が石切り場や単なる造成によるものであることがわかってきました。でも鎌倉にはちゃんと「お城」があるんです。

鎌倉市で最大のお城は、JR大《おお》船《ふな》駅西側の丘陵上にあった玉《たま》縄《なわ》城《じょう》です。ただしこの城は、鎌倉時代より200年ほど後の戦国時代に栄えた北条氏、北条早《そう》雲《うん》によって築かれました。お城と言っても戦国時代の城は、石垣や天守閣は無く、土でできた城です。でもこの玉縄城は、房総の里《さと》見《み》氏や有名な上《うえ》杉《すぎ》謙《けん》信《しん》の攻撃も退け、難攻不落の城として有名でした。現在は学校やマンションが立ち並び城跡の面影はありませんが、戦いで討死した武将を祀る首塚があり、毎年8月19日には「玉縄史跡まつり」が行われます。

古刹・杉本寺の裏山には杉《すぎ》本《もと》城《じょう》があり

杉本寺の裏山が杉本城跡。立ち入り禁止なので古刹見物で我慢！

(MAP P.57)

玉縄城の首塚。この奥にある五輪塔がそれで、激戦を今に伝えます。

和賀江島の歴史を伝える碑。

Did you know?

ました。この城も土でできた中世の城です。今なお土塁や削平地が残りますが、現在は立ち入り禁止なのでご注意を。鎌倉の城は他にも逗子《ずし》市との境に住吉城《すみよしじょう》がありますが、こちらも戦国時代のもの。鎌倉は歴史上、3度攻められて3度とも陥落しているので、城塞都市は言い過ぎかもしれません。

さて、その住吉城の直下の海岸は今や逗子マリーナの船着場となっていますが、そこから鎌倉市内方向に目をやると、海の上に奇妙な石積みが…これこそ、鎌倉時代の船着場・和賀江島《わがえじま》です。鎌倉の海岸は遠浅な上、海が荒れるとたちまち船が着けなくなりました。そこで1232年、第3代執権・北条泰時《やすとき》が築かせたのが、人工島・和賀江島だったのです。以後、和賀江島は鎌倉の海の玄関として使われ、現在でも島の内側は波が穏やかなので、小型船の船溜りとして使用されています。海の中にも、鎌倉時代の人々の息吹が残っているんですね。

干潮時は歩いて島に渡れます。たまに陶器の破片を見つけることも。

(MAP P.4)

今や干潮時にしか姿を現しませんが昔は満潮時でも見えたそうです。

海街ねこ写真館

海街diary

すずちゃんの鎌倉さんぽ索引

おすすめさんぽ処

ショップ&グルメ処

海街を楽しむための必須アイテム

鎌倉を舞台にふたつのドラマが交錯する!?

「ラヴァーズ・キス」

同じシチュエーションを
違う人物の視点から
描くことによって、
それぞれの心情を
克明に描いた名作。
4つのキスに
胸が高鳴ります!

文庫本
全1巻
発売中!

〔新装版も
発売中!!〕

「海街diary」

突然、3人の姉ができてしまった少女、
すずを中心に、恋や友情そして
家族の絆を描くヒューマンドラマ。
自分の人生観を揺さぶられること必至です!

月刊フラワーズ flowersにて
随時掲載、
単行本1～6巻
発売中!

鎌倉を舞台にした
「海街diary」と「ラヴァーズ・キス」は
同じ時間軸の延長線上にあります。
登場人物も微妙にリンクしています。
読んでいない人はもちろん、
読んだ人ももう一度
これらの作品を読み、
ドラマの時間を
共有したら、
次にドラマの空間、
つまり鎌倉という土地を
共有するべく
海街さんぽに
出かけてみて
ください!

すずちゃんの
海街レシピ
発売中!

吉田秋生PLOFILE

多感な若者たちの恋模様を描いたかと思うと、
息をもつかせぬ銃撃戦でハードボイルドを描き、
さらに涙と笑いのファミリードラマまで描いてしまう吉田秋生。

その深い心理描写は
ジャンルを問わず、私たちの心に訴えかける。
現在、東京に住みながら、
取材のためたびたび鎌倉を訪れているが、
実は吉田秋生は幼少期を鎌倉で過ごしている。
「海街diary」のみならず、
吉田秋生の世界を読み解く
キーポイントのひとつが
”鎌倉”なのかもしれない。

取材協力

鎌倉シルバー・ボランティアガイド協会
鎌倉の観光及び史跡案内をしています。
電話　0467-24-6548(9:30~15:30)
http://www.kcn-net.org/guide/index.htm

島津健

墨屋宏明

墨屋夕貴

そのほか、取材させていただいた方々に厚くお礼申し上げます。

敬称略

参考資料

大人の街歩き　鎌倉　湘南／成美堂出版
鎌倉お散歩地図／学習研究社
鎌倉さんぽ／成美堂出版
ことりっぷ鎌倉　湘南・葉山／昭文社
散歩の達人　鎌倉江ノ電完全案内／交通新聞社
湘南鎌倉Walker／角川クロスメディア
たびまる鎌倉　湘南・三浦半島／昭文社
タビリエ鎌倉／ＪＴＢパブリッシング
都市地図　鎌倉市／昭文社

取材・編集／海街オクトパス

上村浩子
佐藤絵美
指宿弥生
佐野摩利奈
片山明浩
田嶌貴久美
熊谷順平
齋藤詩織
mineru
小佐野千恵子

カバー・本文デザイン

岩下倫子

イラストマップ

伊藤いと

協力

真島聡

「海街さんぽ」いかがでしたか？
この本は「海街diary」大好きチーム、
「海街オクトパス」が
春から夏にかけて取材したものです。
ですから、獅子舞の紅葉、
古刹の雪景色などの写真はありません。
あなたが見たいと思う海街の風景は
あなた自身が訪れて、
そして体験してください。

では海街でお待ちしています！

fs flowers comics special 海街diary

すずちゃんの鎌倉さんぽ

2008年10月13日初版第1刷発行(検印廃止)
2015年5月19日　第9刷発行

監修者　**吉田秋生**

発行者　細川祐司

単行本編集　由木デザイン

単行本編集責任者　佐藤礼文

発行所　株式会社 小学館
〒101-8001東京都千代田区一ツ橋2-3-1
TEL 販売03(5281)3556 編集03(3230)5456

印刷所　凸版印刷株式会社

　ISBN978-4-09-179028-6　PRINTED IN JAPAN